Este livro pertence a

GABRIELA LOPES

Jornada de Milagres

Um devocional
para aumentar sua fé por meio
dos milagres de Jesus

EDITORA VIDA
Rua Conde de Sarzedas, 246 — Liberdade
CEP 01512-070 — São Paulo, SP
Tel.: 0 xx 11 2618 7000
atendimento@editoravida.com.br
www.editoravida.com.br
@editora_vida /editoravida

Editora-chefe: Sarah Lucchini
Editor responsável: Maurício Zágari
Revisão: Paulo Oliveira e Eliane Viza
Revisão de provas: Rosalice Gualberto e Jacqueline Mattos
Coordenadora de design gráfico: Claudia Fatel Lino
Projeto gráfico e diagramação: Vanessa S. Marine e Claudia Fatel Lino
Capa: Vanessa S. Marine
Imagens de miolo: Freepik | @freepik

JORNADA DE MILAGRES

■

Exceto em caso de indicação contrária, todas as citações bíblicas foram extraídas da Nova Versão Internacional (NVI) © 1993, 2000, 2011 *by International Bible Society*, edição publicada por Editora Vida.

Todos os direitos reservados.

Todas as citações bíblicas e de terceiros foram adaptadas segundo o Acordo Ortográfico da Língua Portuguesa, assinado em 1990, em vigor desde janeiro de 2009.

■

As opiniões expressas nesta obra refletem o ponto de vista de seus autores e não são necessariamente equivalentes às da Editora Vida ou de sua equipe editorial.

Os nomes das pessoas citadas na obra foram alterados nos casos em que poderia surgir alguma situação embaraçosa.

Todos os grifos são do autor, exceto os indicados.

1ª edição: set. 2023

Dados Internacionais de Catalogação na Publicação (CIP)
(Câmara Brasileira do Livro, SP, Brasil)

Lopes, Gabriela
Jornada de milagres: um devocional para aumentar sua fé por meio dos milagres de Jesus / Gabriela Lopes. — Guarulhos, SP: Editora Vida, 2023.

ISBN 978-65-5584-444-3
e-ISBN 978-65-5584-450-4

1. Cristianismo - Filosofia 2. Fé (Cristianismo) 3. Jesus Cristo - Ensinamentos 4. Literatura devocional 5. Milagres - Ensino bíblico I. Título.

23-167777 CDD-231.73

Índice para catálogo sistemático:

1. Milagres : Cristianismo 231.73
Eliane de Freitas Leite - Bibliotecária - CRB 8/8415

Dedicatória

A todas as pessoas que precisam viver
algo extraordinário em sua vida.
Creio que, por meio desta leitura, Deus
levantará você e o fará viver milagres.
Talvez você sinta que não há mais
nenhuma novidade para acontecer,
mas creia que *Deus fará o sobrenatural
ainda neste tempo!*

Gabi com sua vó Dina

Gabriela Lopes; seu pai, pastor Ananias; sua mãe, pastora Áurea; e suas irmãs, Mayara (de sangue) e Eliana (do coração)

"Só Deus e eu sabemos como é importante
para mim ter vocês na minha vida.
Eu amo vocês com todo o meu coração."

GABRIELA LOPES

Agradecimentos

A Deus, pela honra de mais uma vez poder
contribuir para o seu Reino com este conteúdo.

Aos meus pais, que são meus maiores exemplos,
à minha vó, que é o meu amorzinho, e ao meu marido,
que é o meu maior incentivador e tornou
minha vida muito melhor.

Às minhas queridas Mayara (minha irmã),
Eliana, Gabriela e Maria Eduarda, que me ajudaram
com os conteúdos, as atividades práticas e tudo
o que aconteceu neste livro!

Pra. Camila Barros e Gabriela Lopes

"Em todo o tempo ama o amigo;
e na angústia nasce o IRMÃO."

PROVÉRBIOS 17.17

Só quem já vivenciou um milagre sabe a real grandeza daquilo que recebeu, por isso a Gabi carrega uma alegria vibrante e contagia pessoas por onde passa. Fervorosa e intrépida enquanto ministra, levará você a sentir o amor de Deus todas as vezes que a ouvir, como se fosse sempre a primeira vez!

Ela vive hoje o cumprimento de promessas que foram feitas nos cenários mais improváveis de sua vida, tornando-se um testemunho vivo de força, fé, propósito e superação. Jesus fez milagres na vida da Gabi, gerando experiências incríveis e importantes aprendizados, que agora estão acessíveis a todos nós através desta maravilhosa obra literária.

Pastora Camila Barros

Sumário

Gabriela Lopes e seu esposo Alcir Guimarães

"Não há nada mais encantador do que
amar e ser amado. Encontrar quem também
procurava por você é como viver
um lindo sonho."

GABRIELA LOPES

Apresentação

O que significa para você falar de milagres?

Pelos dicionários, podemos considerar que milagre é um "acontecimento extraordinário, incomum ou formidável que não pode ser explicado pelas leis naturais". Ou, ainda, um "sinal ou indício de que há interferência divina na vida dos homens".

Estudando as Escrituras, percebemos que Jesus fez muitos milagres, como: curar enfermos, ressuscitar mortos, expulsar demônios e até multiplicar o pão, que simbolizava o alimento! Registrados, há 35 milagres, mas não temos como saber exatamente quantos ele realizou no total, porque a Bíblia diz que ele fez muitos mais, que não foram registrados (João 21.25).

Além de manifestar sobrenaturalmente o poder de Deus, glorificar o Pai e demonstrar o amor de Deus ao cuidar das pessoas, os milagres de Jesus serviam naquele momento para confirmar seu ministério como o Filho de Deus, o Messias que viria para a salvação do homem . Jesus não fazia milagres só para mostrar seu poder nem para se exibir — cada um tinha um propósito especial, uma lição, uma ajuda.

O milagre maior e mais esperado foi a ressurreição. Quando morreu e ressuscitou, Cristo pagou o preço por todos os nossos pecados, libertou-nos e restaurou nosso acesso a Deus. Quando ressuscitou, Jesus venceu a morte, dando-nos a vida eterna. Não existe maior milagre que esse!

Então, para falarmos dos milagres de Jesus, precisamos ter a consciência de que são ações humanamente impossíveis de explicar, mas que, mesmo hoje, por consequência do seu triunfo sobre a morte pela ressurreição, podemos vivê-los em nossa vida. Sim, você pode viver milagres! Ele vive! E por causa da vida dele, nós também podemos viver abundantemente. Creia nisso!

Que este livro seja um destravar de Deus de forma sobrenatural em sua vida!

Que, ao ler sobre cada milagre, algo poderoso aconteça!

Alcir Guimarães

Pra. Raquel Lima e Gabriela Lopes

"Só quem tem um amigo vibrante
e que extravasa alegria sabe o quanto
isso faz bem à vida."

GABRIELA LOPES

Prefácio

Ainda não conheci pessoa mais intensa, vibrante e apaixonada por Jesus como a Gabriela. Sério, ser convidada para prefaciar este livro foi, sem dúvidas, um presente do Céu.

A Gabi, como a chamamos, é a prova viva de que Jesus é real. Sim, ela se parece com ele! Ela o ama e tem vivido todos os seus dias, desde a infância, para segui-lo. Conheci Gabi há alguns anos e posso afirmar que o amor dela por Jesus e sua Palavra só aumentam. A jornada cristã dela é notória. Gabi não só fala de Jesus como o resultado da sua caminhada comprova a quem ela está seguindo.

Que, ao ler este livro, você entenda que não se trata de um material que alguém criou como meio de aumentar a renda ou promover o próprio nome. Você tem em mãos uma obra incrível, baseada nos milagres de Jesus. E o maior propósito da autora é que, ao ler este livro, sua vida e perspectiva em relação a quem Jesus é e o que ele pode fazer sejam transformadas. Sim, ele ainda ressuscita mortos, estanca hemorragias, muda caracteres, multiplica pães e peixes e escolhe os improváveis.

Minha oração é que esta jornada leve você a uma experiência nunca vivida até aqui. Entenda: Deus o escolheu para este tempo e deseja que sua vida com ele seja muito mais que duas horas de culto semanais ou um vídeo na internet que lhe causa arrepios. Ele deseja que você viva a experiência de saber, de fato e verdade, quem ele é!

Ele é Deus e ainda faz o que ninguém mais poderia fazer. Creia nisso, e que Deus o abençoe!

Pastora Raquel Lima

PARTE 1

Deus de curas

Jesus precisava dizer apenas uma palavra para que a cura alcançasse o homem. Mesmo à distância, nada poderia resistir a uma ordem dele. Se Jesus ordenou, a enfermidade tem de sair.

Data __/__/__

Como estou me sentindo:

____

1

Assuma seu lugar de filho

A cura da sogra de Pedro

Mateus 8.14,15

Por que, às vezes, tentamos vencer algumas guerras sozinhos? Por que achamos que Deus não se importa conosco? Estava aqui meditando sobre quantas vezes poderia ter contado com a ajuda do Mestre para sair de algumas situações e insisti em fazê-lo com a minha força. Como me feri! Como me machuquei! Eu poderia ter evitado tantas dores!

Às vezes, olhamos as nossas dificuldades e em comparação com as de outras pessoas pensamos "não é nada tão grave a ponto de Jesus interferir". Você logo pensa algo como: "Tem gente em condições piores, vivendo dores maiores", e isso logo o faz sentir que deve aceitar o que está vivendo — afinal, Jesus não pararia seus

Talvez você tenha feito escolhas erradas na sua trajetória, mas o Senhor está lhe garantindo seu cuidado a partir de agora! Peça ajuda! Clame por ele!

trabalhos difíceis e intensos para resolver uma questãozinha que aos olhos de muitos parece bobeira, certo? Errado! A Bíblia me diz que Jesus fez questão de pegar na mão da sogra de Pedro a fim de curá-la de uma febre. Isso mesmo, uma febre!

Febres são indicativos de alguma doença ou perturbação orgânica. A Bíblia não diz se aquele mal-estar era fruto de um quadro simples que logo passaria ou se era algo que pioraria, ela diz apenas que Jesus a curou! Ele resolve causas impossíveis, mas também causas simples!

Não limite o trabalhar de Deus às circunstâncias, creia que ele se preocupa com os mínimos detalhes da sua vida! Às vezes, isolamo-nos e sequer temos coragem de orar por algumas áreas, por achar que não receberemos uma intervenção divina. Talvez por culpa alguém diga algo como: "Fui eu que entrei nesse vale, logo, eu que tenho de resolver e sair...". Que é isso! Não seja tão cruel com você mesmo! Acolha-se e entenda o tamanho do amor do seu Pai por você.

Talvez você tenha feito escolhas erradas na sua trajetória, mas o Senhor está lhe garantindo seu cuidado a partir de agora! Peça ajuda! Clame por ele! Diga toda a verdade e quanto você precisa de uma intervenção nessa área que tanto o tem incomodado!

Durante a leitura do texto, aos ouvidos de muitos vai soar desagradável ler a palavra *Pai*. E quem sabe não é aí que está o seu problema? Pode ser que você viva uma questão de paternidade não resolvida. Talvez sua dificuldade não se deva nem a achar que o que você está passando seja algo pequeno demais, mas por crer que Deus não se preocupa o suficiente com você — afinal, sempre foi você quem resolveu tudo, sem uma figura paterna ou materna que se importasse com suas dores. Hoje, quem sabe, em decorrência disso, você transfere esses detalhes da sua infância para o seu relacionamento com Deus.

Quantas feridas acumulamos ao longo da nossa vida! São frustrações que vão se colando em nós e compondo o nosso ser, deturpando a nossa essência, afastando-nos da verdade da nossa criação: *filhos*!

Você é filho! Você é amado! Seus erros não diminuem o amor de Deus e seus acertos não o aumentam — você simplesmente é porque é! Hoje é dia de cura nessa área relacional! Enxergue o Mestre com as mãos estendidas, dizendo-lhe quanto se importa com você, mesmo que isso lhe pareça estranho e confuso!

Os evangelhos contam que Jesus viu a sogra de Pedro, virou-se para ela e a tocou — tudo como demonstração de cuidado e amor.

"Ah, Gabi, mas é só uma febrezinha!", você pode pensar. Se é o caso, Jesus está lhe dizendo:

"Deixe-me acessar os seus pontos vulneráveis e ser o Senhor de toda a sua história... Não só de uma parte, mas de toda!"

Talvez aquela febre fosse o sinal de algo muito ruim que logo mais se manifestaria. Já pensou? Se você pode colocar um basta nisso hoje, por que esperar se agravar?

Esse texto não é só para relatar a cura de uma febre, mas nos faz pensar sobre áreas da nossa vida com as quais convivemos há muito tempo com certa normalidade, mas que, na realidade, não são normais. "Como assim, Gabi?", você pode se perguntar. Você não percebeu ainda que confia que Deus cuida de todas as pessoas à sua volta, menos de você? Não percebeu ainda que você não consegue entregar tudo nas mãos dele e descansar, porque a vida toda, se você não fizesse por si, ninguém mais faria?

Só que agora é diferente, pois você tem com quem contar! Jesus chegou! Isso lhe basta!

A Bíblia diz que, após a cura, a sogra de Pedro começou a servir quem estava na sua casa. Sim, ela começa a realizar suas tarefas com facilidade, sem peso nem limitações. Creia que todo peso, toda fadiga excessiva que estava atrapalhando seus projetos serão igualmente repreendidos! Você vai voltar a ter leveza na sua vida!

Apresente a Deus onde está a "febre" que tem assolado as suas emoções. Conte tudo a ele, sem reservas, e deixe que ele se incline sobre você e o toque. Deixe Deus ocupar o lugar dele de Pai, enquanto você se senta no seu lugar de filho.

Ele está desejoso de ouvi-lo neste momento...

Continue ouvindo a voz de Deus!
Posicione seu celular no QR code.

Atividade prática

Reflita sobre por que você tem dificuldade de entender Deus como um Pai amoroso e presente que quer cuidar de todas as áreas de sua vida. Liste os sentimentos que permearam seu pensamento enquanto refletia. Peça ao Espírito Santo para ajudá-lo a entender os porquês de tudo isso. Em seguida, ore renunciando a cada um desses sentimentos e pedindo que Deus o ajude a confiar, mesmo que as pessoas mais próximas tenham negligenciado suas necessidades e, até mesmo, abandonado você — ele nunca fará o mesmo.

____

____

____

____

Para reflexão

1. Que tipo de relacionamento você teve com seu pai terreno? E com sua mãe? Consegue, por meio de sua resposta, entender seu relacionamento com Deus?

____

____

____

2. Liste quais áreas da sua vida você não tem coragem de levar em oração diante de Deus por achar que ele não se importa — e, por isso, tem tentado sozinho e se frustrado constantemente.

____

____

____

Para ler em voz alta

"Mas Sião diz: Já me desamparou o Senhor; o Senhor esqueceu de mim. Pode uma mãe se esquecer do filho do seu ventre, que não se compadeça dele? Mas ainda que esta se esquecesse, eu, todavia não me esquecerei de ti. Eis que na palma da minha mão te tenho gravado, os teus muros estão continuamente perante mim." (Isaías 49.14-16 – ACF)

Após a leitura, repita:

Deus me ama e quer cuidar dos mínimos detalhes da minha vida!

Data __/__/__

Como estou me sentindo:

____

A humildade atrai milagres

A cura do criado do centurião

Mateus 8.5-13; Lucas 7.1-10

Sabe o que acontece quando agimos com humildade e reconhecemos que dependemos completamente do Senhor? Nós preparamos o ambiente para um milagre! Mateus 8.5-13 relata a história de um oficial que busca em Jesus a cura para o seu criado que sentia fortes dores e estava gravemente doente.

Essa atitude era culturalmente incomum para um romano. Infelizmente, na época, as pessoas de baixa posição não eram tratadas com apreço, por isso a preocupação e o cuidado desse oficial com o seu servo vinham de alguém que claramente não tinha o coração moldado pelos padrões impostos pela sociedade.

O caráter daquele homem o diferenciava dos demais. O gesto de humildade de se submeter a Jesus, reconhecendo que ele era poderoso para curar o seu servo, era admirável. Ele agia com genuína sensibilidade com o seu servo, fazendo o que estava ao seu alcance e agindo da maneira certa para levar socorro e provisão para aquele homem.

Pelo seu cargo, aquele militar poderia ter acesso privilegiado ao que havia de recursos medicinais mais efetivos naquela época — que, apesar de contribuírem para a cura, não eram comparáveis ao que aconteceria na vida de alguém quando alcançado pelo poder de Deus. Mas já havia se espalhado por toda a região a notícia da cura do filho de um oficial do rei, quando Jesus fez um milagre com apenas uma palavra. Esse é o poder do testemunho!

Sempre que você estiver diante de cenários impossíveis, lembre-se de contar e cantar testemunhos. Porque, ao falar sobre milagres, um ambiente favorável é estabelecido para que ocorram novas maravilhas.

Muito provavelmente, aquele homem, ao ouvir sobre o milagre que Jesus havia realizado, encheu-se de fé para crer que o próximo seria o dele. Ouvir o que Deus fez na vida de alguém não pode ser motivo de inveja ou comparação, mas algo que nos encha de ainda mais convicção de quem é o Senhor a quem servimos. Não se ofenda se alguém foi visitado, alcançado ou recebeu algo antes de você. Antes, entenda que a fila andou e está cada vez mais perto de a sua senha ser chamada!

Ouvir foi o que trouxe para ele a esperança de que, mesmo que seu servo fosse paralítico e sua situação parecesse dificílima, a solução não era impossível para Deus. Jesus precisava dizer apenas uma palavra para que a cura alcançasse o homem. Mesmo à distância, nada poderia resistir a uma ordem dele. Se Jesus ordenou, a enfermidade tem de sair.

Guarde esta verdade no seu coração: não importa o tamanho da sua dor. Por mais complicado que seja o seu contexto, hoje, creia que uma palavra de Jesus pode reverter toda a situação. Uma palavra dele movimenta todo o reino espiritual, faz com que cadeias se movam e milagres se manifestem.

Será que temos tido fé o suficiente a ponto de confiarmos completamente que uma palavra de Jesus é suficiente para mudar nossa vida? Não deposite a sua confiança em nenhum outro lugar. Não deixe que ninguém diga o que você pode ou não fazer. Antes, baseie sua vida no que Deus diz a seu respeito.

Sabe de que você precisa? De uma palavra de Deus! Sabe o que vai pôr tudo em ordem? Uma palavra de Deus! Sabe o que dará um basta nesse cenário adverso? Uma palavra de Deus! Pare de ouvir as vozes do medo, da ansiedade e do desespero — ouça a Deus!

Olhe para o exemplo do centurião, que demonstrou uma fé inquestionável, reconhecendo que o impossível é a terra fértil para o poder de Deus se manifestar. Que possamos sempre agir com fé, reconhecendo a autoridade divina sobre todas as coisas e agindo com humildade, sabendo que nada se equipara ao poder do nosso Senhor. Deus é soberano a ponto de não ter seu poder limitado por coisa alguma, então confie nele.

Termino esse texto citando Provérbios 21.31, para que você entenda o tamanho da grandeza do seu Deus:

"Prepara-se o cavalo para o dia da batalha, mas o Senhor é que dá a vitória".

Continue ouvindo a voz de Deus!
Posicione seu celular no QR code.

Atividade prática

Pense nas vezes em que você precisou do favor de alguém, mas o orgulho o impediu de ser ajudado e abençoado. Peça perdão a Deus por isso! Escreva a sua oração.

____

____

____

____

____

____

Para reflexão

1. Você seria capaz de se humilhar para ajudar alguém que ama e é importante para você?

____

____

____

____

____

2. Analisando a sua vida, você se considera uma pessoa humilde ou orgulhosa? Por quê?

____

____

____

____

____

Para ler em voz alta

"O orgulho do homem o humilha, mas o de espírito humilde obtém honra." (Provérbios 29.23)

Após a leitura, repita:

Deus, eu reconheço que preciso renunciar ao orgulho para alcançar a tua cura para minha vida e para as pessoas que amo e estou disposto a fazer isso, com a ajuda do Espírito Santo.

Data __/__/__

Como estou me sentindo:

____

3

Você precisa crer

A cura do leproso

Lucas 5.12

Dificuldades que parecem não ter fim, problemas que parecem não ter solução... como é difícil enfrentar esse tipo de tribulação! Só quem vive esse tipo de questão sabe como é doloroso! A Bíblia nos conta sobre um homem que também partilhou do mesmo sentimento. Todos os evangelhos sinóticos narram a história dele, mas só Lucas conta detalhes sobre sua condição ao dizer que ele estava cheio de lepra, ou seja, tomado por uma enfermidade incurável aos olhos humanos.

Como muitas vezes ficamos fragilizados! Como frequentemente nos sentimos impotentes e incapacitados! Às vezes, parece que Deus quer nos expor ao nível de dificuldade mais alto possível!

Talvez você se sinta exatamente assim neste momento. Se é o caso, preciso dizer que não o julgo! Sei que algumas fases da vida são quase insustentáveis e que alguns desertos nos parecem infinitos, a ponto de questionarmos: "Será mesmo que Deus está cuidando de mim? Veja o que estou vivendo!". É, eu entendo você... E aquele homem também o entenderia muito bem, uma vez que sua condição era totalmente sem solução.

Mas um fato importante aconteceu nessa história — e é o mesmo fato que se manifestará na sua vida: *Jesus chegou!*

A chegada dele a uma situação muda completamente o quadro e devolve o oxigênio a quem pensou que estava prestes a dar o último suspiro. Lá estava Cristo, cheio de bondade e de favor... exatamente como está, agora, diante de você — e só por isso o levou a ler este livro, para lembrá-lo de que o favor dele nunca lhe faltou, mesmo no meio desse turbilhão de conflitos consecutivos que você vem vivendo.

O leproso disse a Jesus, cheio de fé no coração, apesar das circunstâncias: "Se quiseres, podes curar-me". Quero lhe perguntar: como anda seu nível de confiança no Deus a quem serve? Você permitiu que as circunstâncias esfriassem sua fé? Pense sobre isso e avalie como têm sido seus últimos comportamentos diante de Deus.

Ninguém podia tocar um leproso sem ficar impuro. Da mesma forma, você talvez se sinta abandonado pelas pessoas. Mas acredite: não é culpa delas, pois, afinal, não podem fazer nada por você. Alguns até queriam, mas não podem.

Jesus compadeceu-se do homem e o tocou — *sim, ele o tocou!* Você tem noção do que isso significa? Jesus põe as mãos onde ninguém mais pode. Ele tem autoridade para interferir naquilo que nenhuma outra pessoa é capaz.

Ele disse: "Quero, seja purificado!". Primeira questão: *Jesus quer!* Sim, mais do que você, ele quer! Não há ninguém mais interessado em mudar sua história do que ele. Não há ninguém mais desejoso de abençoá-lo do que ele. Tenha esta certeza no seu coração: *ele quer!* Segunda questão: o impuro não contaminou o puro; antes, o puro limpou o impuro! *Aleluia!* Seus problemas não têm o poder de afetar em nada a soberania, a autoridade e o poder do seu Deus. Volte a crer! Eu vou dizer de novo: *volte a crer!*

Só lhe resta crer! Você não pode fazer nada além disso. Então, *ouse* crer novamente. Tenha uma atitude de fé que vai movimentar o Céu a seu favor. Volte para o quarto de oração, para a vida de clamor, para a chama do Espírito! Você precisa crer!

Termino este texto afirmando: ninguém que se apresenta em fé diante de Deus sai da mesma maneira! Creia que hoje é a sua vez! Dobre seus joelhos, chore diante de Jesus, diga a ele onde está doendo e afirme: *eu escolho crer!* O inferno vai se abalar com essa declaração, e os Céus se movimentarão... volte a crer! Você precisa!

Seja renovado em fé e abraçado pelo doce Espírito Santo, que o visita, aí, agora!

Continue ouvindo a voz de Deus!
Posicione seu celular no QR code.

Atividade prática

A lepra era o mesmo que uma sentença de morte nos tempos de Jesus, pois não tinha cura. Hoje, é diferente: existe cura, se a enfermidade for diagnosticada e tratada. Às vezes, é necessário parar e reconhecer que existem áreas da vida que já entraram em decomposição, e a insensibilidade já está em um estágio tão avançado que só o poder restaurador de Jesus pode curar. Pense, reconheça e descreva a área ou as áreas em que você precisa do toque especial de Jesus — seja física, seja emocional, seja espiritual, para que receba cura e seja regenerado, em nome de Jesus.

____

____

____

____

Para reflexão

1. Que atitudes você precisa tomar para fortalecer a fé e buscar uma vida mais fervorosa de clamor a Deus?

____

____

____

2. Como você tem enfrentado os desafios? Com fé e coragem, ou tem aceitado que tudo terminou?

____

____

____

Para ler em voz alta

"Pois eu sei que o meu defensor vive; no fim, ele virá me defender aqui na terra." (Jó 19.25 – NTLH)

Após a leitura, repita:

Ainda que tudo pareça que é o fim, creio que o meu Deus é poderoso e quer me curar e restabelecer todas as coisas na minha vida espiritual, emocional e física.

Data __/__/__

Como estou me sentindo:

____

4

Crer para ver

A cura de dois cegos

Mateus 9.27-31

Como podemos acreditar no que não vemos? É muito complicado falar sobre isso a uma geração que sempre precisa de sinais e manifestações visíveis para que se credibilize o que está sendo dito. Mas a fé não anda por essa lógica, ela se move por um molde completamente diferente: *primeiro eu creio, depois eu vejo.*

"Você crê que eu posso fazer isso?" é a pergunta feita para quem está clamando por um milagre. A resposta parecia óbvia para aqueles dois cegos que estavam atrás de Jesus querendo ser curados. Apesar de não poderem ver, eles conseguiam ouvir. Pela sua condição física, não viram com os próprios olhos aquilo que Cristo havia realizado até então, mas foram alcançados pelos

testemunhos. O que ouviram foi suficiente para que pudessem crer.

E você, crê que Deus fará algo sobrenatural na sua história? Você tem conseguido agradar o coração de Deus por meio da sua fé? Digo isso porque a Bíblia afirma: "Sem fé é impossível agradar a Deus, pois quem dele se aproxima precisa crer que ele existe e que recompensa aqueles que o buscam" (Hebreus 11.6).

Muitas vezes, temos dificuldade de confiar em algo porque ainda não podemos enxergar com nossos olhos naturais. Mas o convite de Deus é que possamos ver além das possibilidades, porque a nossa confiança não está no que os nossos sentidos são capazes de identificar, mas estão no nosso Senhor.

Lembra de Tomé? Ele precisou ver para crer, mas essa atitude fez Jesus declarar que bem-aventurados são os que não viram, mas creram. **É sobre isso!** *É sobre se mover, mesmo sem ver nada!*

Lembra de Tomé? Ele precisou ver para crer, mas essa atitude fez Jesus declarar que bem-aventurados são os que não viram, mas creram. *É sobre isso!* É sobre se mover, mesmo sem ver nada! É sobre crer no que está sendo dito, mesmo que o cenário contrarie tudo! É ter coragem de andar confiando em uma palavra só porque ela veio do Mestre!

Foi quando o Senhor tocou nos olhos daqueles dois homens, dizendo que acontecesse o milagre de acordo com a fé deles (cf. Mateus 9.29). Sim, Jesus tocou nos olhos deles porque a fé deles o tocou. Essa é a resposta de Jesus ao ouvir aqueles dois homens, que depositaram a sua confiança nele, apesar das limitações.

Convenhamos que, naquela situação, Cristo poderia ter-lhes dito o que era melhor e feito imediatamente o milagre — porque, claramente, sabia do que eles necessitavam. Mesmo assim, deu a eles voz para que dissessem o que buscavam e fez conforme o seu coração era capaz de crer.

Isso nos mostra que, muitas vezes, esperamos que Deus simplesmente atenda aos nossos pedidos sem que nos esforcemos em buscá-lo, sem esticar a nossa fé mesmo que ainda não possamos enxergar o resultado. O Senhor deseja que nos apresentemos a ele, digamos aquilo por que temos ansiado e vejamos com os olhos da fé o milagre que desejamos.

Ler sobre a cura daqueles homens nos estimula a ter uma fé verdadeiramente percebida — aquela que contagia quem está ao redor, manifesta-se por meio das nossas atitudes e atinge o coração de Deus. É uma fé que nos leva para dentro da casa de Jesus em busca de um milagre; uma convicção que descredibiliza nossos medos, despreza o que parece impossível, faz com que um testemunho nos tire da inércia e nos leve para o lugar do milagre.

Continue ouvindo a voz de Deus!
Posicione seu celular no QR code.

Atividade prática

A fé não é a respeito do que vemos ou sentimos, mas, sim, do que sabemos. A nossa fé é a confiança absoluta e incondicional no poder do nosso Deus, ou seja, não se trata do que estou vendo, mas do que sei sobre ele. Os cegos não podiam ver o que Jesus fazia, mas ouviram sobre ele. A quais vozes você tem dado ouvidos? À voz do seu Deus, que lhe diz que é o mesmo e não mudou, ou à voz que lhe diz que não tem mais jeito? Diante disso, descreva uma vez em que você entendeu que a sua fé, ou a de alguém próximo a você, era tudo que existia para mudar o rumo da história. E faça um clamor declarando que Deus é o mesmo e que ainda opera milagres na vida dos que nele esperam.

____

____

____

Para reflexão

1. Diante da resposta acima, o que você acha que o tem feito duvidar desse Deus que pode fazer todas as coisas?

____

____

____

2. Declare as suas deficiências, crendo que Deus hoje cura você no que for necessário.

____

____

____

Para ler em voz alta

"Porque desde a antiguidade não se ouviu, nem com ouvidos se percebeu, nem com os olhos se viu um Deus além de ti, que trabalhe para aquele que nele espera." (Isaías 64.4 – ARC)

Após a leitura, repita:

Senhor, eu creio que o meu clamor chegou diante de ti e que, por mais que eu ainda não veja nada, sei que és poderoso para agir em meu favor. Em nome de Jesus. Amém.

Data __/__/__

Como estou me sentindo:

____

Ignore opiniões negativas e viva seu propósito!

A cura da mão ressequida

Mateus 12.9-13; Marcos 3.1-5; Lucas 6.6-10

Estamos dispostos a abrir mão da aprovação das pessoas para fazer aquilo que agrada a Deus? Você tem coragem de se mover por aquilo que acredita, mesmo que isso incomode as pessoas ao seu redor? Pare por alguns segundos e pense sobre quantas vezes você foi neutralizado por se importar demais com a opinião alheia ou por ser refém da aprovação do outro.

Se olharmos para o acontecimento na Bíblia em que um homem tem sua mão completamente restaurada por meio do poder de Jesus, vemos quanto Cristo se movia em compaixão e não se importava em frustrar as expectativas humanas, só para fazer aquilo que agradava ao Pai.

Ser um imitador do Mestre é isto: mover-se pelo que os Céus desejam, mesmo que a terra discorde. Eu sei que essa direção é dolorosa e desafiadora. Entretanto, quanto tempo mais você vai atrasar a sua vida por ser limitado às coisas, pessoas, lugares, opiniões e muito mais?

O homem que foi curado da mão ressequida tinha a vida profundamente limitada devido a essa disfunção. Ele enfrentava dificuldades e dores diariamente. Tudo para ele era mais difícil. Aquele homem podia usar mil desculpas para dizer que terminaria seus dias como estava. Mas, ao ver Jesus, ele agiu com ousadia e coragem para expor o seu sofrimento e buscar nele a resposta de que tanto necessitava. Afinal, não importava tudo que ele havia vivido até ali, os diagnósticos que havia recebido, as declarações de fracasso e impotência que poderia ter ouvido até aquele momento, se estava diante de Jesus. Ali, ele soube reconhecer que havia poder do alto para restaurar e mudar o seu destino.

De igual modo, você precisa, de uma vez por todas, entender que não adianta continuar se vitimizando, lamentando-se pelo que não fizeram, pelas ajudas que não chegaram, pelas dificuldades que você enfrenta e nem sabe por quê. Aquele homem também estava diante de uma circunstância que não havia escolhido, mas percebeu que aquele dia poderia ser o dia da grande virada em sua vida. Assim como ele, pare de perder oportunidades por estar se lamentando pelo que aconteceu, levante-se e busque o que acontecerá!

Enquanto os homens estavam focados no cumprimento da lei e nas tradições religiosas, aquele homem soube discernir o mover sobrenatural de Deus que poderia curá-lo. O que para homens era considerado escândalo e rebeldia era, na verdade, o propósito divino confundindo corações que estavam distantes do Senhor.

Nesse episódio, Jesus nos mostrou que obedecer a Deus significa agir com fé e obediência radical, mesmo que isso requeira que passemos por cima das expectativas do mundo. A compaixão do coração de Jesus trouxe para aquele homem muito mais do que uma cura física, mas mostrou que ele era, sim, visto pelo Senhor, que lhe deu redenção e esperança.

Jesus se importa com as pessoas! Ele se importa com você! Mesmo que pensem coisas ruins ao seu respeito, Jesus não pensa. Porque, mesmo que o coração dos mestres da lei e fariseus estivesse cheio de inveja, buscando questionar e descredibilizar Jesus, ele permanecia fiel ao seu propósito e trazia consigo a visão do reino de Deus para quem estava ao seu lado. Cristo veio por você! E ele quer curá-lo de suas dores físicas, emocionais e espirituais, segundo sua vontade soberana.

Lembre-se da passagem do homem curado da mão ressequida quando se encontrar em alguma necessidade. Desejo que, assim como Jesus, você caminhe em misericórdia e graça onde quer que esteja, vivendo seu propósito e sabendo que não está só — e você é agraciado constantemente para viver algo novo!

Continue ouvindo a voz de Deus!
Posicione seu celular no QR code.

Atividade prática

Você entendeu que muitas vezes teremos de desagradar pessoas para vivermos os milagres de Deus? Entendeu que Jesus, por seu poder, tirou a impossibilidade daquele homem de viver uma vida plena? Diante disso, responda com suas palavras se você tem vivido uma vida plena em Cristo e por quê.

Para reflexão

1. Pontue as impossibilidades que o têm estagnado em uma vida medíocre, sem conseguir alcançar os propósitos de Deus para você.

2. O que você está disposto a fazer, além de frequentar cultos, para que a cura de Jesus o alcance, tirando as impossibilidades e assim o levando a viver o propósito para o qual ele o chamou?

Para ler em voz alta

"Mas uma coisa faço: esquecendo-me das coisas que ficaram para trás e avançando para as que estão adiante." (Filipenses 3.13b)

Após a leitura, repita:

No que depender de mim, farei de tudo para viver o que de novo Deus tem para mim neste tempo, renunciando a tudo o que tem me impossibilitado de provar os milagres na minha vida, em nome de Jesus. Amém!

Data __/__/__

Como estou me sentindo:

____

6

Você é um instrumento de Deus!

A cura de um hidrópico

Lucas 14.1-6

Você crê que Jesus pode mexer na agenda da terra para fazer um milagre por você? Se você crê, diga: *"Eu creio!"*. Ponha a mão em seu coração e repita para você mesmo, de olhos fechados, por duas vezes: *"Jesus vai mexer na agenda dos homens para me favorecer!"*. Sabe por que estou lhe falando isso? Porque Jesus curou um homem que sofria com inchaços no corpo — um hidrópico —, porém isso aconteceu em um sábado, dia que, segundo os mestres da lei, deveria ser de descanso. Jesus não hesitou em contrariar a ideia das pessoas. Afinal, eles tinham um cronograma, mas Cristo tinha outro.

Lendo essa passagem, veio-me um questionamento: será que a minha agenda está impedindo milagres de acontecerem ao meu redor? Será que estou mais presa aos meus achismos do que à liberdade de deixar o Mestre agir do jeito que ele quer? Pense sobre isso e se questione se você tem ditado as regras em sua vida, impedindo, assim, o trabalhar soberano de Deus. "Ah, Gabi, mas ninguém impede o agir de Deus", você pode dizer, e com razão. Ninguém de fora pode impedi-lo de agir por mim, mas eu mesmo posso colocar limites nesse trabalhar quando ouso achar que o controle deve estar nas minhas mãos, e não nas dele!

Mas eu *amo* o meu Jesus, porque a compaixão e o cuidado dele vão além das expectativas mal fundamentadas das pessoas ao redor. Apesar de estar cercado por quem estava apenas em busca de discussões teológicas buscando acusá-lo, Jesus fazia questão de demonstrar, em suas atitudes, a motivação do seu coração e priorizar que aquele homem fosse curado. Cristo sempre pensa em nós! Ele está interessado em mudar nossa vida sempre que for preciso! Deus quer ser o condutor da sua vida, com confiança total nele e descanso no seu cuidado.

Entenda, o que está sendo incentivado aqui não é que sejamos apáticos no conhecimento, nos rituais importantes, no estudo e em tudo o mais. Mas o convite do Céu é para que não ignoremos o Espírito de Deus, que deseja se mover por meio de nós.

Jesus pode curar, não importa o dia, o horário e a ocasião. Mesmo que não esteja planejado na sua agenda, esteja aberto a viver o mover de Deus sem restrições. Esteja disposto a deixar o rio de cura fluir por seu intermédio. Permita que o amor, a misericórdia e o poder de Deus se manifestem em sua vida, mesmo que haja perseguição, críticas negativas ou desentendimento das direções que Deus lhe dará.

Tenha coragem de se mover pelo propósito da sua vida, que é muito maior do que a opinião dos outros. Curas como a daquele homem são uma demonstração do Reino de Deus, estabelecido por Jesus Cristo. Ele sabia que curar aquele homem em um sábado poderia causar conflitos, mas isso não importava. Era apenas um detalhe se comparado ao quanto a vida de uma pessoa poderia ser transformada a partir de um contato com ele. A hipocrisia dos homens estava sendo revelada, afinal, um filho poderia ser resgatado no sábado, mas uma pessoa não poderia ser curada?

Precisamos estar dispostos a ser cuidadosos com pessoas que não conhecemos bem, tão cuidadosos quanto somos com os mais próximos. Que não venhamos a decidir quão merecedora uma pessoa é de um milagre com base em quão beneficiados nós seremos. Porque obedecer a Deus não é sobre nós, é sobre a vontade dele se cumprindo sobre toda a humanidade.

Você já pensou como pode ser um agente de cura, transformação e compaixão no lugar em que está inserido hoje? Já imaginou quantas pessoas que, aparentemente, são uma "pedra no seu sapato" na verdade foram colocadas em seu caminho por Deus a fim de lapidá-lo para viver seu chamado? Tem noção do quanto você tem a oferecer se parar de se atrapalhar com "coisinhas" que, diante do seu propósito de vida, são pequenas demais?

Você, em Deus, é maior do que tudo o que o tem ferido! Você, com Deus, tem mais força do que pensa para vencer toda essa oposição. Que tal começar, a partir de agora, a se enxergar como o Reino dos Céus o vê? Desprenda-se, seja livre, não permita mais que coisa alguma roube de você a sua missão: mudar a vida de pessoas por meio do que Deus depositou em sua vida!

Continue ouvindo a voz de Deus!
Posicione seu celular no QR code.

Atividade prática

Se você pudesse mudar a vida de uma pessoa agora, quem seria? O que você faria por ela? Anote o nome dessa pessoa e escreva em quais áreas você gostaria de ver Jesus trabalhando por ela. Após isso, pegue o telefone e escreva uma mensagem dizendo a essa pessoa para crer que Deus vai fazer algo lindo por sua vida!

Para reflexão

1. Você já descobriu seu chamado? Em qual área você acha que mais tem desenvoltura para ser usado por Deus?

2. Você sente que seu ministério está travado? O que acha que precisaria melhorar para desenvolver mais o que Deus o chamou para fazer?

Para ler em voz alta

"O Espírito do Senhor JEOVÁ está sobre mim, porque o SENHOR me ungiu para pregar boas-novas aos mansos; enviou-me a restaurar os contritos de coração, a proclamar liberdade aos cativos e a abertura de prisão aos presos; a apregoar o ano aceitável do SENHOR e o dia da vingança do nosso Deus; a consolar todos os tristes; a ordenar acerca dos tristes de Sião que se lhes dê ornamento por cinza, óleo de gozo por tristeza, veste de louvor por espírito angustiado, a fim de que se chamem árvores de justiça, plantação do SENHOR, para que ele seja glorificado."
(Isaías 61.1-3 – ARC)

Após a leitura, repita:

Eu sou um escolhido e vou cumprir
o meu chamado!

Data __/__/__

Como estou me sentindo:

____

7

Rompendo meus limites

A cura da mulher do fluxo de sangue

Lucas 8.43

Você tem chamado atenção de Jesus? Neste texto, quero falar sobre uma mulher que chamou atenção do Senhor só para ela! Não sabemos seu nome, mas é notório que, com apenas *um toque,* ela fez sair virtude de Jesus. Que toque é esse? O toque da fé!

Lucas 8 começa com Jesus voltando à multidão após ter libertado um homem possesso de demônios. Assim que ele chega, Jairo, que era príncipe da sinagoga, prostra-se diante dele e pede que vá com ele até a sua casa, a fim de curar sua filha.

Mas, no meio do caminho, uma mulher que, havia doze anos, sofria de um fluxo de sangue, decide movimentar sua fé e toca em Jesus. Ela já tinha gastado tudo o que possuía com médicos e feito tudo o que podia para ser curada, porém não tinha achado a solução. Ao ouvir falar de Jesus, não pensou duas vezes e foi até ele.

Essa mulher rompeu com suas limitações físicas e emocionais para receber sua bênção. Eram doze anos sofrendo de um fluxo de sangue, imagine como ela estava! Provavelmente, ao longo dos anos, ela deve ter adquirido outros problemas físicos, como anemia, cansaço e fadiga. E, consequentemente o seu emocional devia estar severamente abalado!

Naquela época, o fluxo de sangue a tornava impura segundo a lei mosaica. Assim, aquela mulher também enfrentava uma série de privações religiosas e sociais. Já pensou ficar isolada por doze anos? Que terrível! Se uma pandemia de dois anos abalou muitas pessoas, quanto mais um isolamento seis vezes maior! A mulher já não devia ter mais com quem conversar, afastada de tudo e de todos. Impedida de entrar no templo, era vista como imunda, e tudo o que ela tocava se tornava impuro.

É quando ela ouve falar de Jesus.

Mesmo emocionalmente abalada, ela não deixa que seus sentimentos afetem sua fé, ao contrário, ela transformou tudo o que estava vivendo para chegar até Jesus! Ela ignorou os olhares alheios, pois já não aguentava mais aquela situação e, por isso, rompeu seus limites.

Entenda isto: as dificuldades fazem com que rompamos com os nossos limites. *Eu creio que todo limite será rompido hoje! Que seus sentimentos não vão dominar você! Que, por mais que lhe falte força, você irá romper os limites!* "Se eu tão somente tocar a sua roupa, ficarei sã", ela dizia para si mesma. Muitas vezes ficamos dependentes de declarações dos outros, sendo que a palavra profética já está na

nossa boca! A solução de que você precisa já está dentro de você! Exercite a sua fé e vá ao encontro da orla das vestes de Jesus — a chave que conecta ao cumprimento da promessa.

Conecte-se, hoje, com a promessa! Saia da rotina e vá ao encontro de Jesus hoje! Ele o espera! Ao ler alguns versículos sobre essa mulher, podemos perceber que não estava nos planos dela ter uma conversa com Cristo, até por conta de sua situação. Possivelmente, ela pensou que tocaria, sairia e ninguém a notaria. O plano era não ser notada e passar despercebida. Mas o Senhor a notou, porque Deus percebe aquele que o toca com fé. Ele não vê como as pessoas veem e não aponta suas debilidades como a multidão aponta, mas o Senhor nos vê com amor. Entenda que Deus não somente nota você, mas faz questão de mostrar o seu milagre a todos. *O seu milagre será visto por todos! Ele servirá de testemunho para edificar outras vidas! A sua vergonha será transformada em honra!*

Deus percebe aquele que o toca com fé. Ele não vê como as pessoas veem e não aponta suas debilidades como a multidão aponta, mas o Senhor nos vê com amor.

É importante ressaltar que o milagre dessa mulher ocorre quando Jesus está a caminho da casa de Jairo, isto é, ele está seguindo para realizar outro milagre. Ela não se intimidou por isso, mas teve coragem e foi buscar a sua bênção, pois era sua última esperança! O toque de fé ultrapassou as suas expectativas, e a mulher foi curada na mesma hora — mais do que isso, ela foi salva!

Não deixe de acreditar por estar vendo milagres na vida de outros e parecer que na sua vida nada acontece. *Tome uma atitude de fé, hoje, toque na orla da roupa de Jesus e receba a cura! Receba a restauração do seu emocional! O Senhor tem salvação para a sua alma e cura para as suas feridas!*

Isaías 53.4,5 (ACF) diz:

> ***Verdadeiramente ele tomou sobre si as nossas enfermidades, e as nossas dores levou sobre si; e nós o reputávamos por aflito, ferido de Deus, e oprimido. Mas ele foi ferido por causa das nossas transgressões, e moído por causa das nossas iniquidades; o castigo que nos traz a paz estava sobre ele, e pelas suas pisaduras fomos sarados.***

A cada passo de Jesus no Calvário, uma cura era liberada! Tome posse, hoje, daquilo que o Senhor já liberou para a sua vida!

Continue ouvindo a voz de Deus!
Posicione seu celular no QR code.

Atividade prática

Escreva três áreas da sua vida que você sente que são limitadas, isto é, que não avançam. Depois, escreva **PROFETICAMENTE** o que você deseja que aconteça nessas áreas nos próximos meses.

Para reflexão

1. Você percebe que está preso a alguma ferida que o acompanha há muitos anos? Pense sobre isso com calma e pergunte-se se há alguma coisa que você ainda precisa romper.

2. Ao pensar nas áreas que você disse que estão travadas, o que acha que precisaria fazer para que elas avancem? Quais passos você precisa dar?

Para ler em voz alta

"Porque te restaurarei a saúde, e te curarei as tuas chagas, diz o SENHOR [...]." (Jeremias 30.17 – ACF)

Após a leitura, repita:

Eu sou curado(a)! Eu estou rompendo todos os meus limites!

Data __/__/__

Como estou me sentindo:

____

O Deus que faz por completo!

O cego de Betsaida

Marcos 8.22-38

Há dias em que tudo o que precisamos é de alguém que nos traga uma novidade de vida e promova um novo tempo e um novo olhar para nós. Que Jesus seja essa bússola para os seus caminhos e lâmpada para os seus pés! Talvez você esteja cansado das rotinas e das monotonias da vida, pois todo dia se repete da mesma forma. Mas o que você sentiria agora se eu lhe dissesse que há algo novo para chegar? Como você ficaria se eu lhe informasse que há uma surpresa reservada para os próximos dias? Imagino que seu coração tenha pulsado diferente ao ler isso.

Certo homem também acreditava estar fadado a viver sempre a mesma coisa, mas Jesus mudou sua história. Estou falando do cego de Betsaida. Eu não sei seu nome, mas sei que ele era conhecido pelo local onde vivia. Cego e limitado, o que ele ouvia da vida é que "vai terminar do jeito que está". Até que tudo mudou, quando algumas pessoas decidiram levá-lo até Jesus. Sim, creia que Deus vai pôr perto de você pessoas que o ajudarão a fazer o que sozinho você não consegue! O Senhor vai lhe apresentar amigos que sofrerão suas dores e se alegrarão com suas vitórias.

Assim que encontrou aquele homem, Jesus segurou-lhe a mão e, para surpresa de todos, conduziu-o para fora da aldeia. "Não, espere aí, Jesus! Cegos não podem ser trocados de lugar, eles precisam ficar no seu lugar habitual", alguém poderia dizer. Mas Jesus sempre contraria as lógicas humanas. Por isso, tirou aquele rapaz da zona de conforto dele e o levou para um lugar aparentemente inseguro.

Talvez você se sinta exatamente assim, vendo Jesus mudar situações na sua vida, vendo-o mexer na sua zona de conforto... e isso o tem desesperado. Parece que tudo saiu do controle e que você vai cair a qualquer momento, não é mesmo? *Só parece!* Eu sei que tudo está diferente para você, mas o

Creia que Deus vai pôr perto de você pessoas que o ajudarão a fazer o que sozinho você não consegue! O Senhor vai lhe apresentar amigos que sofrerão suas dores e se alegrarão com suas vitórias.

texto faz questão de dizer que Jesus pega nas mãos do rapaz antes de levá-lo ao lugar desconhecido.

Talvez você não saiba, mas vim lhe dizer que você nunca esteve sozinho nesse processo. Você nunca ficou um dia sequer sem que a mão do Mestre estivesse bem firme nas suas. Decida se entregar! Deixe Jesus assumir o controle! Confie mais no cuidado dele! Quando o Mestre assume, o caminho dele é assim: antes de eu pisar, o Mestre pisa primeiro; antes de eu sentir, o Mestre sente primeiro. Permita que o Senhor trace seus passos hoje. Ele quer direcioná-lo e pisar antes dos seus pés. Ore como o salmista fez em Salmos 23.2: "[...] guia-me mansamente a águas tranquilas" (ARC).

Por que Jesus decidiu levar aquele homem para fora da aldeia? Betsaida foi citada pelo Senhor como um lugar de incredulidade, por isso ele resolveu tirar o cego daquele ambiente. Não permita que a incredulidade de alguém roube de você a fé e a esperança. Não espere que as pessoas acreditem no milagre de que você precisa. Não hesite em abandonar algo para viver as promessas de Deus. Vá! Deixe Jesus tirá-lo dos lugares que o limitam, deixe que ele leve para longe as pessoas que não acrescentam, deixe que ele o empurre para o seu destino. Desagarre-se dos cenários limitadores dos seus sonhos!

Jesus tocou no cego e o curou. Não houve somente cura, mas toque — um toque que gerou intimidade. Imagine quanto tempo havia que aquele homem não recebia um toque sincero por conta de sua deficiência. Mas Jesus lhe deu exatamente o que ele precisava.

Não se aflija mais com o desprezo das pessoas que o cercam. Jesus toca você para um novo tempo, uma nova história! O que ele tem para você é exatamente o toque de que você precisa. O Deus de novidades o visita para lhe ensinar a ressignificar suas dores e conduzi-lo a uma nova história.

Cristo impôs as mãos sobre o homem e perguntou: "Filho, consegues enxergar alguma coisa?". Ele respondeu: "Vejo as pessoas, mas as vejo como árvores, caminhando". O homem já estava enxergando, só que parcialmente. Jesus tocou nele de novo, e seus olhos passam a ver *perfeitamente*. Isso mostra que o Mestre não permitiu que o rapaz fosse embora com situações mal resolvidas.

Chega de uma vida pela metade! Chega de se permitir viver só uma parte do *todo* que Jesus quer realizar em você e por seu intermédio! Os Céus têm mais! Deus quer fazer coisas grandes, e você tem limitado esse trabalhar... até quando? Chega! Creia que, hoje, Jesus o toca de novo e abre sua visão para que enxergue as grandezas dele para a sua vida! Você não merece nada pela metade: meios-amores, meias-amizades, meio-ministério, meia-família, meia-felicidade... *não!* O que Deus faz é completo! Você crê nisso? Então deixe Jesus conduzi-lo ao novo tempo que já o está esperando! Seja abraçado agora pelo Espírito Santo de Deus!

Continue ouvindo a voz de Deus!
Posicione seu celular no QR code.

Atividade prática

Se Deus lhe perguntasse em qual área da sua vida você gostaria que ele o fizesse **COMPLETO**, o que responderia? Anote essa área e, após terminar a atividade de hoje, ore por ela, dizendo ao Senhor todas as dificuldades que tem sentido.

Para reflexão

1. Você sente que tem vivido seu ministério pela metade?

2. Se você pudesse mudar algo em seu comportamento hoje, o que seria?

Para ler em voz alta

"Tendo por certo isto mesmo: que aquele que em vós começou a boa obra a aperfeiçoará até ao Dia de Jesus Cristo."
(Filipenses 1.6 – ARC)

Após a leitura, repita:

Eu vou viver tudo o que Deus tem para mim!

Data __/__/__

Como estou me sentindo:

____

9

O Deus que age de maneiras inesperadas

O paralítico do tanque de Betesda

João 5.1-15

E se o milagre não vier da forma que esperamos? Como reagimos quando Deus não age de acordo com as nossas expectativas? João 5.1-15 relata a cura de um paralítico que estava nesse estado havia trinta e oito anos. Aquele homem tinha depositado a sua confiança no mover de águas, algo que tinha limite de tempo para poder trazer cura para quem o acessasse primeiro, segundo a crença da época. Parecia tão simples, mas infelizmente não estava disponível para todos.

O que aconteceu quando aquele que não tem seu poder limitado a dias apareceu? O Filho de Deus, que não se prende ao que esperamos, que não busca se encaixar nas nossas datas e que, principalmente, manifesta seu poder a todos aqueles que se achegam a ele, está olhando nos nossos olhos. Como reagimos se ele não fizer do jeito que esperamos? Estamos prontos para reconhecer quem Jesus é, desprendendo-nos do que humanamente parece ser a solução para a nossa vida?

Perceba que o homem, cansado da situação em que se encontrava, procurando por algo que pudesse livrá-lo de tamanha dor e sofrimento, buscava no mover das águas o seu socorro. Mas, ao se apresentar a ele, Jesus não foi reconhecido.

O Senhor lhe perguntou o desejo, e o homem apontou o problema. Da mesma forma, Jesus quer entrar com provisão, mas apresentamos impedimentos porque aparentemente as coisas não vão acontecer como o planejado. Mas quando Jesus perguntou se o paralítico queria ser curado, a esperança daquele homem ainda estava presa ao que aos seus olhos parecia ser a única saída.

Assim como o paralítico, muitas vezes focamos mais as nossas angústias e limitações do que nos preocupamos em responder ao que Deus está nos pedindo. Não compreendemos o agir de Deus, simplesmente porque estamos

Se você tem tido as suas expectativas frustradas, lidando constantemente com um aperto na alma por pensar que nunca sairá do lugar, provavelmente o que você precisa fazer é estar pronto para se levantar, pegando aquilo que o estagnou por anos e seguir em frente.

tão presos a um formato que não conseguimos responder ao que ele quer ouvir de nós.

Se você tem tido as suas expectativas frustradas, lidando constantemente com um aperto na alma por pensar que nunca sairá do lugar, provavelmente o que você precisa fazer é estar pronto para se levantar, pegando aquilo que o estagnou por anos e seguir em frente. Foi isso que Jesus ordenou que o paralítico fizesse.

"Ele respondeu-lhes: Aquele que me curou, ele próprio disse: Toma o teu leito, e anda" (João 5.11 – ACF), porque mesmo que o nosso coração se engane e busquemos solução em algo que na verdade não poderá nos curar, podemos olhar nos olhos de Jesus, ouvir o que ele tem a nos dizer e encontrar nele o que buscamos.

Então, não se preocupe se o que você acreditou ser uma luz no fim do túnel falhou. Deus nunca falhará nem decepcionará. Ponha o foco, a energia, o amor e a total dependência nele — pois somente ele pode mudar a sua história.

Creia que o Mestre tem poder ilimitado para mudar sua história e sua rota. Ele pode iniciar neste exato momento um novo tempo sobre a sua vida, para que você cumpra o propósito dele para a sua jornada. Já não é mais tempo de ficar preso às suas angústias, mas, sim, abrir-se para o novo que está diante de você.

Quando as oportunidades aparecerem na sua rota, você vai levantar em direção a elas e viver tudo que Jesus projetou para você — na plenitude! O testemunho que você carrega será uma ponte para edificar alguém que está ao seu redor!

Continue ouvindo a voz de Deus!
Posicione seu celular no QR code.

Atividade prática

Você sente que está preso a algum sentimento de frustração em alguma área da sua vida? Sente que precisa romper com isso? Dê nome a esse sentimento e anote-o. Escreva como você será após ser liberto disso.

Para reflexão

1. Você tem limitado o agir de Deus às suas expectativas?

2. Se Deus não trabalhar do jeito que você gostaria, como você vai agir? Já pensou sobre isso?

Para ler em voz alta

"Bem sei eu que tudo podes, e que nenhum dos teus propósitos pode ser impedido." (Jó 42.2 – ACF)

Após a leitura, repita:

Deus, eu vou confiar que a tua maneira de trabalhar é a melhor!

Data __/__/__

Como estou me sentindo:

____

10

O poder da gratidão

A cura dos leprosos

Lucas 17.11

Você já agradeceu hoje? E se, hoje, você tivesse apenas aquilo por que foi grato ontem? Talvez você esteja lendo essa pergunta e pensando: "Que clichê! Já li e ouvi esse questionamento em vários lugares". Certo, mas, analisando friamente a questão da gratidão, você pelo menos teria vida hoje?

A Bíblia narra a história de dez leprosos, que, segundo a lei, eram afastados do convívio com outras pessoas, marginalizados, desqualificados, impuros. Aqueles homens necessitavam de um milagre! Eles que se achavam em um povoado entre a Samaria e a Galileia e, vendo que Jesus passaria a caminho de Jerusalém, clamaram por misericórdia!

Salmos 89.14 diz que misericórdia e justiça vão adiante de Deus! Não tenha medo de clamar pela misericórdia que o Céu já tem liberada para você! Essas misericórdias são a causa de sua casa ainda não ter perecido! Elas são o motivo para que sua vida tenha sido preservada. A misericórdia alcançou você, então celebre! Porque, quando tudo parecia perdido, quando você achou que ia agonizar no vale de sombra e morte, quando suas necessidades gritavam tão alto que a voz de sua fé se tornou escassa, quando as aflições da vida lhe roubaram a visão, quando a noite parecia interminável, quando o diabo achou que você desistiria de tudo, *um novo dia raiou!*

Glória a Deus, porque todas as manhãs as misericórdias se renovam! Aleluia! Jesus tem um direcionamento para você que produzirá a cura de que você precisa!

Jesus não disse aos leprosos que fossem curados imediatamente, mas lhes deu um direcionamento! Quantas vezes você tem esperado que Jesus faça algo por você e pela sua casa, mas não se dispôs a fazer aquilo que ele ordenou! Quantas vezes você se absteve de ir porque a seus olhos as coisas não aconteceram como gostaria?

Perceba que o milagre da purificação dos leprosos acontece no caminho! A cura de que você precisa está no caminho de obediência à voz do Mestre! Não dá tempo de parar para chorar e lamentar porque as coisas não aconteceram como você queria. Levante-se agora e caminhe em direção a tudo aquilo que Jesus falou a seu respeito, ainda que pareça absurdo! Enquanto você caminha, a lepra vai saindo de você! Enquanto você caminha, Jesus o limpa! Enquanto você caminha, ele lhe devolve os acessos perdidos! Enquanto você caminha, ele tira de sobre você a vergonha e tudo aquilo que o tornava impróprio para desfrutar do que ele planejou para você!

Naquela história surge uma questão: após terem sido limpos, apenas um decidiu voltar e agradecer. Em algum momento da vida, você certamente já se sentiu ofendido porque alguém agiu com ingratidão. Isso machuca! Você se doou, entregou-se, abençoou, abdicou, e sua retribuição foi *ingratidão!* Mas eu comecei este texto perguntando: e se, hoje, você tivesse apenas aquilo pelo qual foi grato ontem? Será que você não tem sido ingrato? Cuidado com isso, pois gratidão é uma ordenança bíblica: "Deem graças em todas as circunstâncias, pois esta é a vontade de Deus para vocês em Cristo Jesus" (1 Tessalonicenses 5.18). Salmos 103.2 diz: "Bendiga o Senhor a minha alma! Não esqueça de nenhuma de suas bênçãos!".

Jesus não queria apenas curá-los, mas também salvá-los! Porém, somente quem voltou para agradecer recebeu a salvação! Os nove ingratos deixaram de desfrutar dos benefícios da gratidão!

É comprovado cientificamente que pessoas gratas são mais felizes. Agradeça por aquilo que Jesus já fez por você; agradeça porque, talvez, as coisas ainda não estejam como você gostaria, mas já não estão mais como estavam! Agradeça porque Jesus entrou na sua história, introduziu-o de volta ao convívio de amigos e familiares e lhe deu a chance de recomeçar! Cristo lhe deu a oportunidade de ser melhor do que ontem e acreditou em você quando ninguém mais acreditava!

Aqueles leprosos me ensinam que a misericórdia me alcançou, que o milagre de que preciso está no caminho e que devo ser grata para desfrutar de tudo o que Jesus conquistou para mim. O milagre destravará sua mente e o levará a um ambiente interior no qual a ingratidão não tem mais espaço, e as lamúrias e reclamações abrirão caminho para os louvores de gratidão a Deus por tudo que ele já fez até aqui! Creia que você será livre de toda lepra espiritual que o tem impedido de ser completo na presença de Deus! Creia que nenhuma enfermidade o aprisionará mais! Seja livre, pois há poder no nome de Jesus!

Atividade prática

Quando foi a última vez que você agradeceu por tudo o que tem, sem se importar com o que ainda não tem? Pense sobre isso e escreva aqui palavras de gratidão a Deus pelas coisas boas que ele já fez em sua vida.

Para reflexão

1. Por quais pessoas você gostaria de agradecer a Deus hoje?

2. Você sente que se deixou contaminar pelas adversidades? Como você poderia mudar isso?

Para ler em voz alta

"Senhor, quero dar-te graças de todo o coração e falar de todas as tuas maravilhas. Em ti quero alegrar-me e exultar, e cantar louvores ao teu nome, ó Altíssimo." (Salmos 9.1,2)

Após a leitura, repita:

Senhor, sou grato por tudo o que tens feito.
Muito obrigado!

Data __/__/__

Como estou me sentindo:

____

11

Arrancando a mordaça

Jesus cura um mudo

Mateus 9.32

Quantas vezes as situações da vida já roubaram seu poder de fala? Por certo você viveu situações em que queria falar e parecia que algo impedia sua voz de sair. Quem sabe, ela até saiu, mas parecia que ninguém ouvia. Ou quantas vezes você se sentiu silenciado, porque a dor era tão grande que abrir a boca exigia de você um esforço dobrado e só o que lhe restava era o eco do silêncio. E se eu lhe dissesse que também já passei por isso?

Sabia que a voz exerce domínio no mundo espiritual? O mundo foi criado mediante uma palavra dita por Deus: *haja!* Quando o homem foi criado, uma palavra lhe foi dita: *domine!* Já parou para pensar como esse domínio era exercido? Não? Por meio da fala, de uma voz de comando!

O mudo natural é alguém que não tem ou perdeu a capacidade de falar, seja por problemas nas pregas vocais, seja por questões cognitivas. Há também os mudos por opção, aqueles que se abstêm de falar ou que são emudecidos temporariamente por uma forte emoção!

Mas no caso do milagre relatado em Mateus 9.32-34, havia cadeias que prendiam a voz do homem. Ninguém via o que o prendia, mas percebiam os efeitos que a prisão causava em sua fala! A prisão em que ele estava era sutil e imperceptível a olhos naturais, para muitos nada além de uma doença do âmbito físico! Mas a prisão espiritual em que ele se encontrava refletia no mundo natural, tirando dele o poder de fala. Portanto, essa prisão roubava daquele homem uma das capacidades mais poderosas do ser humano, a fala!

O mudo foi levado até Jesus por pessoas que acreditavam que ele precisava de cura, quando, na verdade, ele precisava de libertação. Quantas prisões emocionais você tem vivido que ninguém vê, mas o têm afogado em palavras não proferidas, entaladas na garganta como um nó que afeta a alma? Quantas tentativas de fazer diferente, de acordar e agir de maneira nova, sem reprimir as falas sobre o que o machuca, mas, ao tentar com suas forças, tudo permanece igual? Seu poder de fala foi roubado, e sua voz, silenciada. O que fazer se, por meios próprios, não conseguimos dar o grito da liberdade, posicionamento ou autoridade?

O Jesus que libertou o mudo também está aí, com você, repreendendo as forças ocultas das trevas que vinham travando sua vida e roubando o seu poder de fala. Nenhuma força maligna vai usurpar o seu lugar! Nenhuma outra voz falará por você!

Ao escrever sobre isso, lembrei-me de um filme da minha infância: *A pequena sereia*. A protagonista morava no mar e admirava os humanos, até que se apaixonou por um príncipe. Como viveriam sua história de amor se ele estava na terra, e ela, na água? Uma bruxa aparece na história com a solução de que ela precisava: daria a ela a possibilidade de ter pernas, mas, em troca, queria a sua voz! Assim como na história infantil, frequentemente trocamos nossa voz por benefícios passageiros que sequer são da nossa natureza. Que belo engano é achar que, para ser feliz, você precisa perder o poder de fala! Quantos homens e mulheres acabaram presos em uma ilusão, abrindo mão desse artifício poderoso que nos foi entregue, no intuito de viver uma realidade que não é a sua?

Se, ao ler até aqui, você se identificou com essa situação, a pergunta que surge é: e agora, o que fazer?

Não se desespere. O Jesus que libertou o mudo também está aí, com você, repreendendo as forças ocultas das trevas que vinham travando sua vida e roubando o seu poder de fala. Nenhuma força maligna vai usurpar o seu lugar! Nenhuma outra voz falará por você!

Quem estava acostumado a vê-lo se fechar e enclausurar-se, em vez de se expressar, vai partilhar do mesmo sentimento da multidão que viu aquele milagre: admiração!

As pessoas achavam que era timidez, falta de posicionamento ou, até mesmo, omissão, mas Jesus conhece a cadeia que o aflige e quebra as correntes, destrói os grilhões e diz: *seja livre!* Creia que seus filhos o ouvirão, seu cônjuge dará ouvidos à sua fala e o mundo espiritual conhecerá a sua voz! As pessoas ficarão admiradas ao vê-lo usar o poder da fala que Jesus lhe devolveu! Cristo muda a maneira como as pessoas olham para você! Chega do tempo em que sua opinião não era levada em conta! Chega do tempo em que você era a última opção. Jesus reorganiza as suas prioridades — e nunca mais você se colocará em último lugar!

Jesus devolve a voz, então faça bom uso dela!

Continue ouvindo a voz de Deus!
Posicione seu celular no QR code.

Atividade prática

Quando foi a última vez que você clamou em voz alta, elevando a voz e dizendo palavras com autoridade? Se você nunca o fez, faça agora! Diga em alta voz e escreva a seguir: **EU SOU LIVRE PARA VIVER O MELHOR DE DEUS!**

Para reflexão

1. Que circunstâncias o deixaram tímido e inerte?

2. Por qual área da sua vida você sente que precisa orar mais?

Para ler em voz alta

"Não estejais inquietos por coisa alguma; antes as vossas petições sejam em tudo conhecidas diante de Deus pela oração e súplica, com ação de graças. E a paz de Deus, que excede todo o entendimento, guardará os vossos corações e os vossos pensamentos em Cristo Jesus." (Filipenses 4.6,7 – ACF)

Após a leitura, repita:

Deus, eu clamo pela minha vida espiritual! Age, em nome de Jesus!

Data __/__/__

Como estou me sentindo:

____

12

Cercando-se de boas amizades

A cura do paralítico

Mateus 9.1-8; Marcos 2.1-12; Lucas 5.18-36

Você tem se cercado de pessoas que somam e buscam o mesmo propósito que você? Ou tem convivido com quem o puxa para baixo? A Bíblia diz que aquele que anda com os sábios ficará sábio, mas o companheiro dos tolos sofrerá severamente (cf. Provérbios 13.20). As pessoas com quem andamos têm grande peso sobre o nosso futuro!

Jesus estava compartilhando seus ensinamentos em uma casa que estava abarrotada de pessoas, e, por estar tão cheia, era impossível se locomover ali. A entrada e a saída estavam impedidas. Mas naquele dia, quatro pessoas, encorajadas por uma fé acima das possibilidades, desejaram ajudar um amigo paralítico a ir ao encontro do Senhor.

Mesmo que você se sinta sozinho no meio da multidão, Deus sempre levantará pessoas que possam ir com você em direção ao milagre. São pessoas que não colocarão suas limitações como destaque, mas entenderão que o Senhor é maior.

Apesar de tanta força de vontade, as barreiras físicas eram reais. Afinal, como poderiam aqueles homens passar com uma maca em um espaço em que nem mesmo era possível se movimentar sozinho com tranquilidade? Porém, onde não havia espaço, havia uma solução. Às vezes, as circunstâncias à nossa volta nos assustam e nos fazem pensar que não há espaço para nós. Mas o alerta de Jesus é: mude a sua visão, porque diante dele sempre haverá lugar para você. Ele o espera!

Aqueles homens decidiram ir até onde ninguém havia ido antes: o teto. Lá eles encontram o acesso que tanto buscavam para chegar o mais perto possível de Jesus. Não era o caminho mais fácil, mas foi o que permitiu que chegassem aonde queriam.

Nem sempre os caminhos que teremos de trilhar serão fáceis, mas, no fim deles, encontraremos Jesus. E o encontro com o Mestre é certeza de mudança de vida! Não desista só porque o caminho apresenta dificuldades, pois o retorno será de júbilo. Jesus transforma caminhos de choro em rotas de felicidades e lamentos em alegria! Às vezes, precisaremos fazer algo inédito para alcançar um propósito que será muito maior do que aquilo que pensamos. Creia que Deus lhe dará estratégias novas, uma visão ampliada para alcançar a rota do milagre! Talvez você se pergunte como chegar ao lugar do propósito. Se é o caso, fixe os olhos em Cristo, e a sua visão será clareada, para que você avance!

Uma das lições importantes dessa passagem é que sempre devemos buscar por quem demonstra seu amor não somente por palavras, mas por atitudes. Diz o ditado que é "melhor só do que mal acompanhado", mas eu não acredito nisso, pois a Palavra do Senhor nos diz o contrário: "É melhor ter companhia do que estar sozinho, porque maior é a recompensa do trabalho de duas pessoas. Se um cair, o amigo pode ajudá-lo a levantar-se. Mas pobre do homem que cai e não tem quem o ajude a levantar-se!" (Eclesiastes 4.9,10). Portanto, diante de suas debilidades e seus traumas, não se isole! Permita-se ter amigos que o ajudem a alcançar o propósito que Deus já estabeleceu para você! Valorize as pessoas que estão e estarão com você nos momentos difíceis, para que juntos possam contemplar a glória de Deus por meio dos seus feitos. É na adversidade que se conhece um grande amigo!

A fé é poderosa em nossa vida, pois ela destrava o poder de encontrar uma saída para o que aparentemente não se enquadra na realidade. Apesar de as circunstâncias serem desafiadoras, sempre haverá espaço para que o milagre aconteça! Disseram que você não é capaz? Disseram que a situação não tem mais jeito? Esta é a oportunidade perfeita para que você ative uma fé em Deus capaz de desfazer qualquer tipo de condição imposta por homens.

Foi diante da fé daquele paralítico que a cura foi liberada por Jesus. Portanto, não desista, antes, resista a toda voz contrária à palavra liberada da boca de Jesus! Seja livre de suas limitações emocionais e físicas, pois o dono do milagre se apresentou para você!

Continue ouvindo a voz de Deus!
Posicione seu celular no QR code.

Atividade prática

Reflita sobre suas amizades e seus relacionamentos próximos. Liste as pessoas com quem você anda e avalie se elas somam positivamente à sua vida, compartilhando propósitos e valores semelhantes, ou se o estão puxando para baixo e limitando o seu crescimento. A partir daí, escreva as decisões que tomar quanto a quem caminha ao seu lado.

____

____

____

____

____

____

Para reflexão

1. Você se considera um bom amigo? Pense em, pelo menos, três qualidades que tem como amigo.

____

____

____

2. O que você acredita que tem acrescentado, atualmente, à vida das pessoas que andam com você?

____

____

____

Para ler em voz alta

"Quem tem muitos amigos pode chegar à ruína, mas existe amigo mais apegado que um irmão." (Provérbios 18.24)

Após a leitura, repita:

Deus, ajuda-me a ser um bom amigo! E que a tua mão me cerque de bons amigos! Em nome de Jesus!

Data __/__/__

Como estou me sentindo:

____

13

Agentes de milagres

A cura do surdo e gago

Marcos 7.31-37

Há quanto tempo você vem se sentindo aprisionado, com a sensação de que algo o está acorrentando? Quero ser um agente de Deus na sua vida e impulsioná-lo a viver o milagre, crendo que um novo tempo se inicia, hoje, de modo que tudo o que era limitação se transformará em testemunho. Se isso lhe parece impossível, precisa conhecer a história da cura de um surdo e gago.

Certo dia, levaram a Jesus um homem que tinha dificuldades para se comunicar em razão dessas deficiências. Era um problema físico que o limitava e tornava incompreensíveis as suas palavras. Os homens suplicaram as mãos do Mestre sobre a vida daquele surdo, por entender que um toque de Jesus mudaria o destino dele. Entenda que nas mãos do seu Deus está exatamente o que você precisa! Clame pelo toque do Senhor! Seus olhos verão cair por terra o que é limitação para você, pois nas mãos do nosso Deus está toda força. Portanto, não tenha medo nem se preocupe! A mão do Todo-Poderoso toca, hoje, em você!

Naquela ocasião, Jesus decidiu agir de forma diferente da que adotou em outras curas. Dessa vez, ele tirou o homem do meio da multidão e o levou para um lugar reservado: era a rota do milagre. O homem permitiu-se ser levado pelo Mestre e, quando retornou, já não era mais o mesmo.

Permita-se ser levado na rota pela qual Jesus o está conduzindo, crendo que ela será diferente de rotas que você já traçou. Talvez você esteja como aquele homem, sendo levado por alguém, mas o próprio Jesus quer conduzi-lo e assumir o comando da sua vida. Ele tem para você destinos de vitórias, rotas de milagres e caminhos de vida. Chega de andar pelos mesmos caminhos de sempre! Atitudes novas geram novos resultados! Tome a atitude de pôr o Mestre como condutor principal da sua vida e você chegará a lugares altos!

Muitas vezes, aquilo que Deus deseja que vivamos não precisa ser visto por muitas pessoas, mas é em secreto que encontraremos o milagre. Apesar de a multidão pedir que o milagre acontecesse da forma a que estava acostumada, Jesus decidiu fazer algo novo. Com isso, mostrou que não são métodos e costumes que definem o que Deus pode ou não fazer, mas o Espírito Santo age da forma que desejar.

Quando Jesus põe o dedo no local da enfermidade, o homem é curado. Do mesmo modo, há certas coisas que precisamos deixar que Deus toque para que sejam definitivamente curadas. O toque pode doer, mas se é de Jesus, cura. Talvez pessoas lhe tenham prometido ajuda e falharam, e agora você tem medo de se abrir de novo. Vença esse medo! Permita-se! Em quais áreas Jesus precisa tocar para que você receba cura?

Jesus suspirou e disse "efatá!", que quer dizer "abra-te!". Jesus disse uma palavra para um homem surdo, não é estranho? A questão é que o objetivo do Senhor não era só o homem, mas, sim, a enfermidade que estava na vida dele. A ordem tinha direcionamento e foi diretamente à sua deficiência. A ordem, hoje, para você, é efatá! Que sejam liberados os seus sentidos, que se abra o que estava travado, que caia por terra tudo o que o impedia de ser completo em Deus! Creia que o acesso foi liberado para você, hoje!

É longe dos ruídos e da incredulidade que preparamos um ambiente para que o poder de Deus se revele a nós. Há milagres que serão no particular com Deus, não queira levar pessoas quando o Mestre está conduzindo você a sós, pois, nesses casos, ele quer intimidade!

Por mais que Cristo pedisse para não espalhar o acontecido, toda a multidão observava seus feitos. Como esconder o milagre? Como deixar encoberto o agir de Jesus? Esse milagre é mais uma

Talvez pessoas lhe tenham prometido ajuda e falharam, e agora você tem medo de se abrir de novo. Vença esse medo! Permita-se!

prova de que, quando ele faz, a bênção não para em você, quem está ao seu redor vai testemunhar. Muitos testemunharão a sua dor e ficarão surpresos com a sua cura! A multidão que você achou que espalharia o seu momento de dor e humilhação será a que testemunhará do poder de Jesus. Creia que Jesus, hoje, está mudando o seu cenário e a visão das pessoas a seu respeito! Você não será mais alguém deficiente, mas uma pessoa conhecida como agente de milagres!

O milagre que Jesus operou na vida daquele homem mudou o sentido do seu viver, devolvendo-lhe a expectativa de vida, a esperança de um novo tempo, sem barreiras ou dificuldades, mas livre para prosseguir. Creia que Jesus lhe devolve a expectativa de vida e a liberdade para avançar!

Aquele homem um dia precisou que alguém o levasse até Jesus, mas, depois do milagre, a vida dele foi uma ponte para que outras pessoas conhecessem a Cristo. Você já é agente de milagres, sua vida tem propósito! Eu creio que tudo o que está travando a sua voz profética será quebrado e que hoje se inicia um tempo em que você será uma ponte de Deus por meio do que vai sair da sua boca! O Senhor põe palavras de vitória em seus lábios e transforma o seu lamento em riso, pois sua vida já é um testemunho vivo! Seja tocado hoje! Efatá!

Continue ouvindo a voz de Deus!
Posicione seu celular no QR code.

Atividade prática

Busque um momento de quietude e reflexão. Identifique áreas em sua vida que precisam ser tocadas por Deus para receber cura e libertação. Ore sobre isso, escrevendo aqui a sua oração, para testemunho futuro.

____

____

____

____

____

Para reflexão

1. Faça uma lista com o nome de pessoas que o decepcionaram e que você sabe que precisa perdoar. Ore e as perdoe com sinceridade, pedindo a Deus que o livre de todo ressentimento e que essas pessoas sejam abençoadas.

____

____

____

2. Escreva um testemunho e ponha no coração o propósito de não mais se calar sobre os feitos do Senhor na sua vida.

____

____

____

Para ler em voz alta

"Louvarei teus feitos poderosos, Senhor Soberano; contarei a todos que somente tu és justo. Tua justiça, ó Deus, chega até os mais altos céus; tens feito coisas grandiosas. Quem se compara a ti, ó Deus?" (Salmos 71.16,19 – NVT)

Após a leitura, repita:

Senhor, bendito seja o teu nome! Quero louvar-te e engrandecer-te! Nada vai me calar e me impedir de dizer que tu és santo e poderoso em todas as tuas obras! Agradeço por tudo o que já fizeste e por tudo o que ainda farás em mim e por meu intermédio. Em nome de Jesus. Amém.

Data __/__/__

Como estou me sentindo:

____

14

Busque Jesus com confiança

A cura do filho do oficial

João 4.46-54

"Movidos pelo desespero, e não por fé!" Ouvi essa frase ecoar dentro de mim ao me deparar com o texto de João 4.46-54, que relata sobre um menino à beira da morte e um pai desesperado que roga pela sua cura. Você sabe o que significa rogar? Segundo os dicionários, é "pedir com insistência e humildade", "suplicar", "implorar". Veja quão grande era o desespero daquele homem!

Jesus estava em Caná da Galileia (mesma cidade onde ele transformou água em vinho), e lá havia um oficial do rei que pouco entendia sobre quem era Cristo, mas conhecia a fama que o precedia. Foi por isso que, em um grito de desespero por um filho moribundo, ele implorou ao Senhor que saísse dali e fosse a Cafarnaum operar um milagre da cura no menino.

Ao ler o que Jesus diz em João 4.48, admiro-me de sua onisciência. Porque visivelmente aquele homem não sabia o que era fé, mas acreditava que Cristo podia ir à sua casa para sarar seu filho doente. Ele precisava da manifestação dos sinais, desesperado como se essa fosse a única solução para sua causa.

Quantas vezes não agimos da mesma forma? Ante o que vivemos, frequentemente o que ecoa de nós é a voz do desespero, e não a da fé. Quantas vezes ouvimos que Jesus fez algo na vida de alguém ou por alguém e, ao nos depararmos com situações desafiadoras e até mesmo terrivelmente assoladoras da nossa vida, caminhamos no limbo da fé e do desespero?

O que o tem trazido à pessoa de Jesus é a fé em quem ele é ou o que você ouviu falar a respeito do que ele pode fazer? Muitas vezes, estive no meu quarto, em situações de quase morte emocional e até espiritual, e a voz que o mundo do espírito ouvia no meu quarto era a do desespero, e não a da fé! Mas glórias a Deus que, mesmo em meio ao meu caos, ele foi misericordioso e me deu inúmeros sinais que talvez tenham sido necessários para aumentar a voz da fé em mim!

Certo é que a misericórdia de Jesus, da mesma maneira que me alcançou no meu quarto, vendo a aflição de minha alma, também alcançou aquele oficial, realizando, assim, a cura do menino do lugar em que estava — afinal, ele tem todo poder! A onisciência de Jesus sabia que o oficial não cria nele como o Messias enviado, mas apenas como alguém que podia fazer sinais e operar maravilhas!

Sim! Ele pode fazer sinais! Sim, ele pode operar maravilhas! Mas Jesus quer mais do que isso de nós! Jesus quer que demonstremos um pouco mais de fé!

A prova de que o oficial não cria está registrada em dois versículos desse mesmo texto: no versículo 52, quando, ao receber a notícia de que o menino estava curado, quis saber a que horas a cura se deu; e, no versículo 53, que relata que somente após constatar a hora da cura do menino como a mesma em que Jesus lhe disse que o filho estava curado, ele e sua família creram.

Como saber se o meu clamor a Jesus foi movido pelo desespero, e não pela fé? A resposta está no texto: mesmo após o Senhor já ter dito uma palavra favorável a nosso respeito, depois de clamarmos a ele concernente a alguma causa em oração, queremos prova de que o que ele disse realmente vai acontecer! Mas a fé não é movida por sinais! Ela é a certeza de que o que a boca dele disse vai se cumprir! O poder dele não se limita a espaços físicos, perto e longe, tampouco a espaços de tempo, ontem, hoje e amanhã! Tampouco está atrelado ao calendário, com dias, meses e anos. Mesmo que eu esteja longe, mesmo que eu não esteja vendo nada, mesmo que o

A onisciência de Jesus sabia que o oficial não cria nele como o Messias enviado, mas apenas como alguém que podia fazer sinais e operar maravilhas! Sim! Ele pode fazer sinais! Sim, ele pode operar maravilhas! Mas Jesus quer mais do que isso de nós! Jesus quer que demonstremos um pouco mais de fé!

tempo aparentemente não esteja correndo a meu favor, mesmo que eu esteja em outra região, o poder dele não se limita! Deus é onipresente, onisciente e onipotente! O Jesus que está aqui comigo agora, em sua onipresença, também está com você onde quer que esteja!

Lembre-se de que a fé pode mover montanhas! O Jesus onisciente sabe quais motivações o trouxeram até ele e sabe até mesmo se o que grita em você é a voz da fé ou do desespero. Mas lembre-se de que ele é infinito em misericórdia e graça! O Jesus onipotente tem poder para resolver suas questões e não deixar restar nenhuma pendência sequer. Ele tem poder para abrir portas fechadas, curar enfermidades para as quais os médicos não encontram solução, entrar no hospital e dar vida para quem já tinha o diagnóstico de morte e sarar as feridas mais profundas da sua alma. Não há impossíveis para ele! Busque-o movido pela fé, acreditando que ele pode fazer *tudo!* Afinal, mais do que um operador de milagres, ele é Senhor e é recompensador daqueles que o buscam!

Continue ouvindo a voz de Deus!
Posicione seu celular no QR code.

Atividade prática

Reflita sobre os momentos em que sua oração foi movida mais pelo desespero do que pela fé genuína em Jesus. Peça perdão pelas vezes em que se aproximou dele só pelo que ele pode fazer, e não por quem ele é. Ore pedindo que ele aumente a sua fé e registre aqui a sua oração.

Para reflexão

1. Quem é Jesus para você? Por quê?

2. Apresente-se a Jesus: escreva aqui quem você é, incluindo defeitos, qualidades, carências emocionais, sonhos e decepções. O que você espera alcançar por meio dele?

Para ler em voz alta

"Conheçamos e prossigamos em conhecer ao Senhor; como a alva, a sua vinda é certa; e ele descerá sobre nós como a chuva, como chuva serôdia que rega a terra." (Oseias 6.3 – ARA)

Após a leitura, repita:

Senhor Jesus, quem está diante de ti neste momento é alguém cheio de defeitos, medos e anseios, mas que confia no teu poder. Às vezes, eu te procuro por desespero, mas entendo que só o Senhor pode fazer por mim o que preciso. Obrigado por ter morrido naquela cruz por mim, mesmo sabendo quem eu sou. Tudo o que quero é te conhecer, ser melhor para ti, amar-te e te buscar todos os dias, pelo simples fato de entender que não existe vida longe da tua presença. Eu chego lá, prometo!

Data __/__/__

Como estou me sentindo:

____

15

Você é maior que as suas dificuldades!

Bartimeu

Marcos 10.46-52; Mateus 20.29-34; Lucas 18.35-43

Por que deixamos nossas debilidades (físicas, emocionais ou espirituais) impedirem nosso futuro de ser incrível? Por que autorizamos que as circunstâncias definam nosso amanhã? Deus hoje convida você a *romper!* Rompa por todos os sonhos que ele mesmo tem semeado em seu coração. Você é maior do que seu cenário atual! Mesmo que não enxergue isso agora, apenas acredite no que lhe digo, porque quem me manda dizer é o Espírito Santo! Aleluia!

Isso me lembra da história de Bartimeu, cego que, em certa ocasião, estava à beira do caminho de uma rua em Jericó enquanto Jesus passava. Sua cegueira o havia tornado um morador de rua, até que chegou o dia marcado na história do Céu para ser a virada de página de sua vida. Da mesma forma, creio que esse dia também está marcado na sua vida no que se refere aos seus projetos e sua família. Haverá uma virada! Haverá uma nova história! Você crê?

Era a última vez que Jesus faria aquele trajeto. Foi quando Bartimeu ouviu uma movimentação diferente. Sim, ele era cego, mas ouvia muito bem! Ou seja, por mais que algumas áreas da nossa vida estejam afetadas, ainda podemos nos "movimentar" com aquilo que temos. Qual é a sua habilidade? Em qual área você ainda pode provocar uma revolução na sua vida? Pense sobre isso e decida orar para que Deus o direcione a quais direções você pode e deve tomar a partir de hoje.

Bartimeu começou a gritar: *Jesus, filho de Davi, tenha compaixão de mim!* Esse era o grito de alguém que sabia que ali estava passando o Messias esperado! Mas, como para muitos ele era apenas um mendigo e nunca seria nada além disso, a multidão começou a lhe mandar calar-se, pois estaria incomodando. Esse aspecto é muito importante, uma vez que você, ao longo da sua caminhada, vai se deparar com diversas pessoas que, por não fazerem ideia do que Deus realizará no seu futuro, vão tentar desmotivá-lo, por acharem que você para sempre será preso à sua realidade atual.

É por isso que eu amo a Bíblia! Porque ela me faz perceber que, para Jesus, não há limites para surpreender a todos! Creia: *quem está vendo sua realidade atual vai se surpreender com os grandes milagres que Deus fará em sua vida!*

Foi quando Jesus mandou chamar Bartimeu e lhe perguntou: "O que queres que eu te faça?". Aquele dia era o dia do milagre de Bartimeu, e eu creio que, de igual modo, o seu milagre chega hoje! Agindo Deus, ninguém pode impedi-lo! Ninguém terá poder de deter o que Jesus decidiu fazer por sua vida!

A fé de Bartimeu fez com que o Senhor parasse no meio da sua caminhada. Isso aconteceu porque a fé tem o poder de mover o coração de Deus. Portanto, não perca a sua fé: mesmo que pareça impossível, continue crendo! Jesus ouve os gemidos do seu coração! Bartimeu não só rompeu clamando, mas levantando-se. Muitas vezes clamamos, mas, na hora de tomarmos uma atitude, nós nos prostramos a situações circunstanciais e ficamos inertes.

Mas tenho uma notícia para você: o Mestre ouviu o seu clamor e o chama! Está disposto a levantar-se, largar o que tiver de largar e ir até ele? Levante-se dessa cama, saia desse estado que o paralisa e ande em direção ao Mestre, pois ele tem salvação para sua vida!

"Mestre, que eu tenha vista", disse o cego. E, naquela mesma hora, seus olhos se abriram! Não houve obstáculos: uma hora ele era cego, alguns minutos depois ele já conseguia ver. Aqui está a manifestação do poder de Deus, que não tem sombra de variação. É um poder absoluto, que não podemos explicar. Quando Deus libera uma palavra, não há nada que possa impedir! Fique com a palavra de Deus e seja curado neste exato momento!

Agindo Deus, ninguém pode impedi-lo! Ninguém terá poder de deter o que Jesus decidiu fazer por sua vida!

Eu não sei quais são seus conflitos, guerras e dores, mas o que eu vim lhe dizer é que Jesus desata o sobrenatural em sua vida! Creia que seus próximos dias serão diferentes! Você crê? Onde havia limitação, haverá milagre!

O milagre na vida de Bartimeu serviu de testemunho para aquela multidão, e o seu servirá de testemunho para edificar vidas e glorificar o nome de Jesus! Está preparado para dar um grande testemunho para muita gente? Você não vai terminar seus dias na situação em que está, creia que Deus fará algo *sobrenatural!* Ele é com você! Ele é o Senhor da sua vida! Confie no cuidado dele!

Continue ouvindo a voz de Deus!
Posicione seu celular no QR code.

Atividade prática

Bartimeu nos ensina que a nossa limitação não pode ser um impedimento para o milagre. Precisamos fazer uma autoanálise do que temos, pois o que você tem pode desatar a sua vida e mudar o seu destino. Quais são os obstáculos que o têm impedido de viver os seus sonhos? Liste-os aqui.

____

____

____

____

____

____

Para reflexão

1. Quais atitudes você reconhece serem necessárias para mudar a sua realidade?

____

____

____

2. Você sente que as vozes contrárias têm atrapalhado ou abafado o seu clamor?

____

____

____

Para ler em voz alta

"Para abrir os olhos dos cegos, para tirar da prisão os presos, e do cárcere os que jazem em trevas." (Isaías 42.7 – ACF)

Após a leitura, repita:

Senhor, que a tua voz seja mais alta do que as que me tentam. Eu assumo uma posição a partir de hoje para que minha realidade seja mudada, crendo que nunca mais ficarei preso nas minhas circunstâncias.

Data __/__/__

Como estou me sentindo:

____

16

Deus de restituição

A restauração da orelha de Malco

Lucas 22.49-51; João 18.10

Você já ouviu falar do Deus que restaura sonhos? Você já viveu de perto a restauração de projetos? Se você ainda não passou por isso, permita-me dizer que o Senhor é restaurador de sonhos e projetos. Talvez você ache que essa é uma realidade muito distante, que parece loucura, afinal, você tem vivido uma sucessão de perdas, fracassos nos projetos, dificuldades na família. As impossibilidades estão diante dos seus olhos. Mas saiba que, não importa a área em que está se sentindo frustrado ou machucado, o Deus restaurador o visita, hoje!

A Bíblia relata uma passagem da vida de um servo do sumo sacerdote, chamado Malco. Ele estava fazendo o seu trabalho e

acompanhando a comitiva que tinha ido ao Getsêmani para aprisionar Jesus quando Pedro levantou a espada e cortou a sua orelha. Pela lei dos judeus, essa mutilação o tornaria impróprio para desempenhar as atividades para as quais tinha se preparado a vida inteira. As consequências seriam gigantescas. Malco, naquele momento, viu seu projeto de vida ser destruído.

No início daquele dia, ele certamente não sabia que tentariam acabar com o seu sonho. O corte da orelha representava a frustração de uma vida toda planejada. Aquela circunstância dizia a ele que não chegaria aonde queria: "Já era, acabou, está tudo perdido, não tem mais jeito!". E o que Jesus faz? Ele devolve a orelha de Malco ao seu lugar, isto é, pega o que se perdeu e restaura no local correto — isso é restituição!

Restituição significa devolução, ou seja, é a recuperação de algo que se perdeu. Restituição é algo voltar para o estado original. Mas a restituição de Deus é bem maior! Ele não só devolve aquilo que se perdeu, mas devolve em dobro. Ele não só o faz voltar ao estado original, mas acrescenta atributos que você não tinha.

Restituição é algo voltar para o estado original. Mas a restituição de Deus é bem maior! Ele não só devolve aquilo que se perdeu, mas devolve em dobro. Ele não só o faz voltar ao estado original, mas acrescenta atributos que você não tinha.

Começamos projetos fazendo altos planos e, do nada, imprevistos surgem perto da conclusão do propósito. O medo vem e, junto, chega a vontade de desistir! Ficamos sufocados com a frustração que vem para nos abalar completamente, fazendo-nos acreditar que chegamos ao fim e que não terá mais jeito. Ficamos sem saída e sem achar soluções, mas Jesus chega e traz restauração de sonhos, projetos, estruturas, alegria e emoções! Aquilo que veio como destruição servirá para fazer você viver uma experiência única com Jesus!

Cristo não só restaurou a orelha de Malco, mas o livrou da morte e da vergonha de uma vida fracassada e frustrada. Com isso, o servo do sumo sacerdote já não seria mais o mesmo. Então, quando você perde algo e tal coisa lhe é restituída, você não é só restituído naquela área, mas deixa de ser quem era e passa a ser alguém que viveu uma grande experiência. Isso lhe acrescenta autoridade na área em que pensou que seria derrotado.

Não tema! As circunstâncias abaladoras que vieram e virão não serão para a sua morte, mas servirão para você viver experiências incríveis na presença de Deus! Ele o fará viver experiências novas! Jesus já restaurou tudo aquilo que o afligia, somente tome posse! Os planos de Deus sobre a sua vida não podem ser frustrados!

Continue ouvindo a voz de Deus!
Posicione seu celular no QR code.

Atividade prática

Ao longo da vida, deixamos de sonhar por causa de perdas que sofremos. Para ajudá-lo a pensar sobre isso, preencha a tabela abaixo. Na quarta coluna, a resposta só pode ser uma de duas: *eu* ou *Jesus*. Apresente essa tabela em oração e faça isso com constância. O que for para Jesus fazer ele fará, e o que couber a você posicione-se.

Sonhos/projetos	*Impossibilidade*	*Causa*	*Quem pode resolver*

Um dia você vai olhar esta tabela e sorrir, entendendo que Jesus faz muito além do que queremos.

Para ler em voz alta

"Porque assim como os céus são mais altos do que a terra, assim são os meus caminhos mais altos do que os vossos caminhos, e os meus pensamentos mais altos do que os vossos pensamentos." (Isaías 55.9 – ACF)

Após a leitura, repita:

Senhor, ajuda-me a ter esperança de novo. Restitui o que foi perdido. Eu não aceito viver menos do que o Senhor projetou para a minha história. Entendo que tu tens mais do que eu espero, por isso ajuda-me a abrir a mente e ser elevado mais alto do que esperei um dia. Eu rejeito viver de feridas e mágoas de quem me causou mal. Eu perdoo, em nome de Jesus. Senhor, aceito o teu jeito, que, com certeza, é bem melhor que o meu.
Em nome de Jesus. Amém.

Data __/__/__

Como estou me sentindo:

____

17

Jesus restaura a visão!

O cego no tanque de Siloé

João 9.1-41

Você já se sentiu desprezado por estar atravessando um momento difícil? Está sem visão clara do que fazer na vida? Dias maus não o definem, e muito menos definirão sua história. Creia, você não está esquecido, mas guardado, escondido em Deus. Lembre-se e nunca se esqueça: o que o faz ir além é sua incansável forma de perseverar no Senhor! O fato de você estar aqui, agora, lendo este livro, é sinal de que Jesus o viu! Não importa o que você está enfrentando, saiba que você é alvo do amor e da soberania de Deus! Jesus já tem um propósito estabelecido para a sua vida. Hoje, a palavra para sua vida é: "Lava-te no Tanque de Siloé" e creia que há um milagre em andamento para você!

Certo homem, cego, passou toda a vida na escuridão, o que em sua cultura era visto como sinal de castigo. E se ele estava sendo castigado, por que, então, ajudar? Assim, ele permanecia abandonado, sozinho, dependendo da caridade e da compaixão de quem por ele passasse. Mas Jesus, andando, o viu. Isso porque Jerusalém era uma grande cidade, com aglomerações e muita gente nas ruas. Mas Jesus viu o homem em meio a toda aquela gente! Deixe-me lhe dizer: Deus também viu *você!*

A pior cegueira é aquela em que se deixa de enxergar o sentido real da vida. Cegueira é ausência de luz. Jesus é a luz do mundo. Sem ele, andamos tateando, esbarrando nas coisas, e perdemos velocidade. É difícil encontrar as coisas no escuro. A cegueira, no contexto, era ausência de discernimento de propósito, de identificar o Cristo, enviado da parte de Deus.

Ao verem o cego, os discípulos indagaram a Jesus: "Quem pecou, ele ou os seus antepassados?". Essa é a mesma ótica da sociedade sem Deus, que observa e julga pessoas a partir de suas debilidades e limitações. Mas Jesus, ao ouvir essa pergunta, rapidamente respondeu: "Nem ele nem os pais pecaram, mas para que nele sejam manifestadas as obras de Deus!". Não importa o que você está enfrentando, saiba que você é alvo do amor e da soberania de Deus. Jesus já tem um propósito estabelecido para a sua vida.

Só vivencia milagres quem obedece à instrução de Jesus. Note que o milagre, a cura, aconteceu somente quando o deficiente chegou ao tanque. Esse homem era cego de nascença, nunca havia visto nada. E você? Está preparado para vivenciar o que nunca viveu até o dia de hoje? Está preparado para testemunhar a manifestação da glória de Deus? Eu não sei há quanto tempo dura a sua luta, mas aquele homem era cego desde o ventre. Já nasceu na dificuldade, com limitações. Mas quero lhe dizer que nunca é tarde, não há sentença que o nosso Deus não possa reverter. Então, não importa se essa sentença vem de anos, ela será quebrada pelo seu novo posicionamento, e a sua visão será restaurada por Jesus!

Os fariseus reconheceram que o homem estava diferente, pois estava enxergando, todavia preferiram desprezar o fato, em decorrência de o milagre ter acontecido num sábado. Muitas pessoas jamais reconhecerão que sua existência é fruto da ação maravilhosa de nosso Deus. Não se irrite nem se entristeça por isso, testemunhe e seja grato a Jesus, sem dar peso à opinião contrária das pessoas.

O cego, que não enxergava, terminou enxergando melhor que os fariseus. A cegueira é ausência de luz; Cristo é a luz do mundo. Aqueles que não estão em Cristo estão em trevas. A questão é que, depois de um tempo num ambiente sem luz, alguns se acostumam, familiarizam-se com as trevas. Os fariseus estavam exatamente assim: pensavam que enxergavam, todavia estavam presos às trevas da religiosidade! O pior cego é aquele que não quer enxergar!

Glória a Jesus, que, por meio do seu amor, tira-nos das trevas, trazendo clareza a tudo o que, até hoje, estava em escuridão diante de nós! Que venha a luz sobre a sua visão e você possa ver o trabalhar de Deus na sua história, nos seus projetos, na sua alma! Que, em nome de Jesus, você consiga ver feridas que estão causando cegueira, impedindo você de enxergar o seu valor — o valor que Cristo já viu em você.

Se você está obedecendo à vontade de Deus, nada nem ninguém vai impedir a sua caminhada, basta que você erga os olhos e veja Jesus do seu lado nessa caminhada!

Continue ouvindo a voz de Deus!
Posicione seu celular no QR code.

Atividade prática

Escolha um dia da semana para usar as redes sociais a fim de compartilhar testemunhos de superação e, assim, inspire pessoas. Compartilhe aqui o que pretende fazer.

Para reflexão

1. De que modo podemos perseverar em Deus mesmo nos momentos difíceis e sem visão clara?

2. Como podemos reconhecer e superar a cegueira espiritual?

3. Que testemunhos você pode compartilhar sobre como Jesus o encontrou e realizou milagres em sua vida?

PARTE 2

Deus de provisão

O Mestre conhece as suas necessidades; ele sabe do que você precisa para não desfalecer no meio da caminhada e entrará com providência na sua vida.

Data ___/___/___

Como estou me sentindo:

____

18

O Deus de providências surpreendentes

Uma moeda na boca do peixe

Mateus 17.24-27

Você crê que o Deus de providências pode visitar você hoje? Talvez você sinta que alguma área da sua vida esteja travada por falta de recursos. Você olha para os lados e não vê nenhuma forma de algo acontecer. Se é o caso, preciso lhe contar um milagre que Jesus operou e eu tenho certeza de que isso vai aquecer seu coração em esperança!

Esse fato sobrenatural aconteceu cerca de seis meses antes da morte de Jesus. A Bíblia nos mostra claramente a soberania de Jesus para providenciar as necessidades daqueles que creem no seu poder e obedecem à sua Palavra. O Senhor tinha transformado água em vinho quando a alegria da festa de casamento estava prestes a acabar, multiplicado pães e peixes quando a multidão estava faminta e realizado outros sinais e prodígios. Agora, diante de um Pedro que havia abandonado a pesca para seguir Jesus, mas continuava tendo obrigações como cidadão, uma nova necessidade surgiu.

Pedro já caminhava com Cristo havia um bom tempo. Ele já tinha visto muitos milagres e acreditava que o Senhor faria alguma coisa a respeito dos impostos devidos, tanto que, quando indagado se o Mestre pagava seus tributos, ele respondeu que sim. Pedro já conhecia a conduta de Jesus e seu caráter — até porque Deus não deve nada a ninguém. Então, se ele chamou você para uma obra ou para a salvação, é importante crer que ele não vai deixá-lo envergonhado nem que a sua vida sirva de escândalo para ninguém. Deus vai entrar com providência. Você entendeu isso? Creia! Apenas creia!

Ele ainda é o mesmo Deus do passado, ele não mudou! Às vezes, nós nos esquecemos da arma que temos nas mãos contra toda voz maligna que tenta nos dizer que estamos sozinhos e desprovidos de ajuda: *a oração!* Por isso, apresente tudo diante do Senhor, fale com ele e não deixe que as pressões espirituais minem seu contato com o seu Deus!

"Não estejais inquietos por coisa alguma; antes as vossas petições sejam em tudo conhecidas diante de Deus pela oração e súplica, com ação de graças. E a paz de Deus, que excede todo o entendimento, guardará os vossos corações e os vossos sentimentos em Cristo Jesus" (Filipenses 4.6,7 – ACF). Essa passagem deixa claro que devemos apresentar nossas necessidades a Deus, pondo tudo diante do altar!

Você só precisa entender algumas coisas dentro desse contexto. Jesus manda Pedro lançar um anzol para pescar, ou seja, ele vai usar o talento que você já tem. O que Pedro era, o que ele fazia? Pedro era pescador. E Jesus usa justamente a pesca para providenciar o que Pedro precisava naquele momento.

Jesus não quis que o discípulo se sentisse inseguro. Da mesma forma, ele nunca vai lhe pedir algo que você não saiba fazer. Ele sempre vai ajudá-lo com aquilo que você tem em mãos. Cristo poderia ter ordenado que Pedro pegasse uma espiga de milho e ali encontraria uma moeda, ou que cavasse um buraco e ali achasse dinheiro, mas não, ele usa o talento de seu amigo. Da mesma forma, ele usará o que ele mesmo lhe deu para entrar com providência na sua vida.

Pedro havia deixado de ser pescador para seguir Jesus, por isso o Mestre lhe mostra quanto vale a pena confiar e se entregar ao propósito que Deus tem para sua vida. Jesus não queria o discípulo preocupado com as coisas terrenas, assim como ele não quer que você fique. O Senhor mesmo nos ensinou, em Mateus 6, que não devemos andar ansiosos com o que haveremos

Você é filho! Você é amado! Suas necessidades estão diante dele!

de comer ou de vestir, porque Deus está cuidando de nós! Você é filho! Você é amado! Suas necessidades estão diante dele!

Quando Pedro lançou o anzol, fisgou um peixe com uma moeda na boca. Como isso pode acontecer? Que coisa mais absurda! Sim, você precisa crer que Deus fará o impossível sobre sua vida! Confie que Jeová Jiré, o Deus da provisão, vai surpreendê-lo neste tempo!

Está preparado para ficar assombrado com a providência que virá? Você acha que Deus é irresponsável? Acha que ele lhe daria sonhos tão grandes que ele não pudesse realizar? Você acredita mesmo que Jesus colocaria no seu coração a ideia de alcançar lugares a que ele não pudesse levá-lo? Ele não o deixará envergonhado! O seu respaldo *é ele!* A sua segurança *é ele!* A surpresa da sua vida *é ele!* Creia que Deus vai surpreendê-lo em todas as áreas da sua vida!

Creia nisso e seja abraçado pelo Espírito Santo!

Continue ouvindo a voz de Deus!
Posicione seu celular no QR code.

Atividade prática

Em qual área da sua vida você gostaria de ver Deus lhe proporcionar uma providência surpreendente? Fale sobre essa área, descreva o que você gostaria que Deus fizesse e ore sobre ela.

Para reflexão

1. Você ainda acredita no Deus que surpreende ou sente que sua fé está diminuindo?

2. Você tem obedecido às direções de Deus ou tem esperado ver para crer?

Para ler em voz alta

"Porque o Senhor Deus é um sol e escudo; o SENHOR dará graça e glória; não negará bem algum aos que andam na retidão."
(Salmos 84.11 – ARC)

Após a leitura, repita:

Creio que Deus me fará uma surpresa nos próximos dias!

Data __/__/__

Como estou me sentindo:

____

19

Obedecendo para viver milagres!

A primeira pesca maravilhosa

Lucas 5.1-11

Quem nunca passou por um momento de frustração, aquele em que você diz: "Cheguei ao meu limite, não aguento mais tentar e não ver nada acontecer". Pensamos nos projetos e parece impossível conseguir realizá-los. Em algumas horas, tentamos reabastecer as forças e renovar as esperanças, mas quando estamos quase nos erguendo, parece que vem outra onda de destruição e nos derruba. A ponto de chegarmos a pensar que nunca vamos conseguir nos reerguer.

Talvez você se sinta assim agora, talvez seus últimos dias, meses ou anos não tenham sido dos melhores. Se é o caso, saiba que, na Bíblia, o apóstolo Pedro também viveu um cenário parecido. Mas foi no seu pior dia que presenciou um grande milagre.

Depois de uma noite inteira de tentativas frustradas de pescar, Pedro estava na praia, cansado, triste, preocupado, por não ter conseguido nada. Jesus, então, pediu o barco de Pedro emprestado. Ele pode ter pensado: "Mas o meu barco? Acabei de viver uma noite frustrante, ele tem certeza de que deseja usar o meu barco?". Mesmo com um turbilhão de sentimentos, Pedro se dispôs a emprestar o barco para o Mestre.

Saiba que Jesus não entrou naquele barco à toa! Ele tinha entendimento sobre onde estava entrando e quem estava escolhendo, do mesmo jeito que Cristo não errou quando chamou você e o escolheu! O Senhor tem todo conhecimento de quem é você e ele não só vê o agora, mas também vê o passado e o seu futuro. A realidade é que Jesus vê além daquilo que você vê! Aos olhos humanos, e até mesmo aos próprios olhos, Pedro era somente um pescador qualquer, mas aos olhos de Jesus ele era o escolhido para uma grande obra, aquele que em seu primeiro sermão ganharia mais de três mil almas!

Deixe-me lhe dizer outra coisa: só pode fracassar quem um dia decidiu tentar. E, acredite, o fracasso foi o meio usado por Deus para que aquele encontro acontecesse. Se o barco de Pedro estivesse cheio, ele não teria como emprestá-lo! Entende por que você está vivendo tantas frustrações? Jesus quer se encontrar com você e fazer algo diferente na sua história a partir deste tempo!

Jesus disse a Pedro: "Vá para o mar alto e lance sua rede para pescar". Você precisa entender que nem sempre os direcionamentos que o Senhor dá farão sentido. Por vezes, vão parecer loucura! Afinal, Pedro tinha acabado de voltar do lugar para onde Jesus o estava mandando ir. Mas sabe o que ele fez? Apenas disse: "Porque *tu* mandas, vou!".

Pedro obedeceu, entendendo que, se dessa vez fosse sob a palavra de Jesus, daria certo! Tudo de que você precisa é de uma palavra! Com o direcionamento dele *vai dar certo!*

Eu não sei qual é o passo de fé que você precisa dar hoje. Não sei qual é a decisão de obediência que você precisa tomar, mas creio que Deus lhe dará graça para obedecer a todo direcionamento vindo da boca do Mestre — e isso resultará para sua vida uma grande colheita. Acredite que quem viu você frustrado até agora verá a boa mão de Deus sobre tudo o que você fizer!

Naquele dia, Pedro realizou a maior pescaria da sua vida! Sabe o que isso significa? A obediência gera milagres! Você *precisa* obedecer, mesmo que tudo pareça estranho, mesmo que as pessoas não entendam. Você não pode se mover pela aprovação alheia ou pelo que está vendo, mas pelos direcionamentos de Deus!

Os pescadores lançaram as redes ao mar, e a Bíblia diz que a quantidade de peixes capturada era tão grande que as redes quase romperam! Creia que Jesus

Eu não sei qual é o passo de fé que você precisa dar hoje. Não sei qual é a decisão de obediência que você precisa tomar, mas creio que Deus lhe dará graça para obedecer a todo direcionamento vindo da boca do Mestre — e isso resultará para sua vida uma grande colheita.

libera sobre a sua vida uma palavra, hoje! Não tema e obedeça! Não olhe para as circunstâncias financeiras, físicas ou emocionais; antes, ouça a palavra!

Às vezes, desistimos de algo pelo qual já estamos batalhando por muito tempo, sem ter êxito algum — e em algumas situações a coisa até piora. Eu não sei o que aconteceu para que você pense em desistir, nem quantas vezes você tentou e não conseguiu. Não sei quantos sonhos e projetos você viu fracassar, mas de algo eu tenho certeza: se Jesus entrou no seu barco, agora será diferente! Receba força para lutar, tentar novamente e sair vencedor, em nome de Jesus!

A Bíblia ainda nos diz que os peixes eram tantos que tiveram de chamar outros barcos que estavam por perto para ajudar. Do mesmo modo, você vai abençoar muita gente com o que acontecerá: toda a sua casa, sua família, os funcionários da sua empresa e até outros empresários serão abençoados pelo que Deus vai fazer na sua vida! Em nome de Jesus!

Continue ouvindo a voz de Deus!
Posicione seu celular no QR code.

Atividade prática

Há alguma área da sua vida que ainda está travada por conta de um passo ou uma decisão que você precisa tomar e não consegue? Liste quais atitudes você vai tomar, pela fé, nos próximos dias, pedindo a Deus para viver grandes milagres.

Para reflexão

1. Você se sente frustrado em alguma área da sua vida? Se sim, em qual?

2. O que você gostaria que Deus fizesse por essa área em que você se sente frustrado?

Para ler em voz alta

"Confia ao SENHOR as tuas obras, e teus pensamentos serão estabelecidos." (Provérbios 16.3 – ARC)

Após a leitura, repita:

Eu creio que Deus vai transformar meus piores dias em grandes testemunhos!

Data __/__/__

Como estou me sentindo:

____

Deus o está reposicionando

A segunda pesca milagrosa

João 21.1-4

Não volte para os lugares de onde Deus já o tirou. Não insista em cenários que já não lhe cabem mais, mesmo que pareçam confortáveis. Falo isso porque nossa tendência é querer ficar onde nos é mais cômodo, familiar, mas nem sempre aquele é o nosso lugar. Ambientes destrutivos... destroem. A Bíblia relata que Pedro estava com os outros discípulos, na Galileia, obedecendo ao comando de Jesus após a ressurreição de esperá-lo lá.

Foi quando Pedro decidiu pescar, e os discípulos o seguiram. Tentaram a noite toda e nada apanharam. Já havia três anos que ele tinha sido chamado para uma nova realidade de vida, um novo propósito, novas prioridades, mas, diante de incertezas futuras, ele

Talvez você, hoje, ao ler este texto, perceba que Deus o está reposicionando, trazendo-o ao centro de sua vontade. Acredite, isso é amor! Ele deixou você se frustrar para que não se esqueça de seu lugar.

decidiu voltar às velhas práticas. Quem não tem convicção do que foi chamado para fazer e ser, na primeira dificuldade quer voltar às velhas práticas!

Talvez você se sinta assim, hoje, buscando se refugiar no que um dia foi o seu lugar, mas quero lhe dizer que lá você não cabe mais. Talvez a velha lembrança esteja tentando convencê-lo, mas, acredite, você não é mais o mesmo.

Pedro já havia vivido muitas experiências, passado por tantas coisas, experimentado o sobrenatural... como pôde não perceber que o natural não lhe cabia mais? Como pode um momento difícil roubar nossas certezas sobre quem nos tornamos e em quem confiamos? Lá estava ele, o novo Pedro, no lugar do Pedro antigo. Tem como dar certo? Claro que não! Pior que temos o hábito de ligar os milagres de Jesus e suas bênçãos à sua aprovação, quando muitas vezes ele realiza grandes atos justamente para mostrar o caminho certo! E aqui vemos alguém fracassando na pesca quando há um Jesus na praia com tudo pronto!

Ou seja, o novo Pedro não vive mais pela lógica da Terra e, se tentar voltar atrás, vai se frustrar outra vez, pois quem um dia "deixou tudo" para seguir

Jesus não vê mais sentido em retornar à velha vida. A nova criatura descobre que o "peixe" que procura só existe nas mãos de Jesus!

Talvez você, hoje, ao ler este texto, perceba que Deus o está reposicionando, trazendo-o ao centro de sua vontade. Acredite, isso é amor! Ele deixou você se frustrar para que não se esqueça de seu lugar. Que lugar é esse? É aqui, perto dele, participando das provisões que vêm das mãos do Senhor!

A segunda pesca milagrosa é Jesus lembrando Pedro do seu chamado! É Jesus mostrando para Pedro que as vestes que usa enquanto volta às velhas práticas já não se adequam a quem Jesus o chamou para ser!

Eu não sei qual rota você tomou quando as coisas ficaram difíceis. Não sei se na caminhada você se perdeu daquilo que Deus o destinou a fazer, mas saiba que o mesmo Jesus que encontrou os discípulos na praia encontra você para lembrá-lo de que você é escolhido para uma grande missão!

Deus, hoje, o prepara para ver acontecer de novo os milagres que já aconteceram no passado. Volte! Refaça o caminho, sem medo, o Senhor o está esperando para fazer tudo novo de novo! Receba essa palavra e seja abraçado pelo Espírito Santo!

Continue ouvindo a voz de Deus!
Posicione seu celular no QR code.

Atividade prática

Liste três lugares ou situações em sua vida que já não cabem mais em sua nova vida.

____

____

____

____

____

Para reflexão

1. Qual é a importância de nos lembrarmos constantemente do nosso chamado e propósito, mesmo quando estivermos nos sentindo solitários e perdidos?

____

____

____

2. Como você identifica os momentos em que vive pela lógica terrena, e não espiritual?

____

____

____

3. Como podemos resistir à tentação de retornar aos lugares e às práticas antigas?

____

____

____

Data __/__/__

Como estou me sentindo:

____

21

O Deus que faz o pouco virar muito

A primeira multiplicação

João 6.1-15

Em algum momento você olhou para o que tinha em mãos e teve medo? Medo por achar que seria pouco? As cobranças do dia a dia às vezes parecem maiores do que podemos alcançar. Com isso, sentimo-nos impossibilitados. Se é o seu caso, quero lhe apresentar um Deus que muda e transforma desertos em ambiente profético.

Mateus 14 nos traz uma realidade de vida. Jesus foi até um lugar deserto, e a multidão o seguiu, pois entendia que estar perto de Jesus era sempre viver milagres. Escolha sempre estar onde o Mestre anda, pois com ele estão os sinais e as maravilhas.

Mesmo em um lugar deserto, Jesus realizou muitos milagres, por compaixão. O deserto pode nos causar uma sensação de desespero e parecer um lugar amedrontador, mas Cristo fez algo diferente no deserto naquele dia. Ele é especialista em não se prender a locais e coisas, ele é interessado na necessidade do povo.

Era deserto? Sim! Mas Jesus estava lá. Tire os medos que estão no seu coração por causa do ambiente em que está inserido e traga Jesus para ele. A multidão não foi para o deserto porque gostava, mas porque Jesus estava lá. Não se preocupe com a rota que tem trilhado ou o cenário em que está inserido, somente se preocupe se Jesus está ao seu lado!

O Senhor se comoveu pela multidão porque sabia exatamente qual era a necessidade daquele povo, assim como ele conhece precisamente do que você precisa. Permita-se lembrar de milagres e livramentos que recebeu e você nem ao menos havia orado a Deus pedindo por eles. Sim, o Mestre sabe de todas as coisas! E, por isso, eu quero ser ousada em Deus e afirmar que ele não o desamparará nos desertos que virão, mas se apresentará em provisão e refúgio, Jeová Rafá é o Deus que o cura hoje! Creia que o seu deserto será celeiro de milagres!

O dia passa e, após Jesus realizar grandes feitos, os discípulos se preocupam, pois estavam em um deserto, o povo estava com fome e ali não havia nem árvore frutífera nem água potável. Jesus, então, convida os discípulos a alimentar a multidão, porém tudo o que eles tinham eram cinco pequenos pães e dois peixes. Cristo pegou o pouco que tinha, abençoou o alimento e, ali, começou mais um dos seus milagres.

Talvez Jesus lhe tenha dado uma ordem equivalente à que deu aos discípulos: "Dê de comer a essa multidão". Você até quer obedecer, mas quando olha para os recursos de que dispõe, vê que não tem como agir. Se é o seu caso, o Mestre está lhe dizendo que o muito sem ele é nada e o pouco com ele alimenta uma multidão!

Entenda que Jesus não está perguntando que recursos você tem, ele só está lhe dizendo para exercer o que o chamou para fazer, pois quem envia o recurso é ele, quem multiplica é ele! A palavra que sai da boca de Jesus respalda todo o processo! Caminhe de acordo com a Palavra! Creia que hoje chega sustento para você por causa da palavra liberada! Apenas esteja disponível, porque não lhe faltará nada. Deus ainda vai sustentar muita gente por meio do que há nas suas mãos! Seus olhos contemplarão tudo o que era pouco na sua mão sustentando vidas!

Os discípulos ainda levaram doze cestos de alimentos que sobejaram para casa. Preste atenção como Jesus é detalhista: e ele faz questão de cuidar de tudo. Eram doze discípulos, sobejaram doze cestos. Isso é espetacular! Não ache que é coincidência o cuidado de Deus com você, nem trate como normal o sobrenatural de Deus. O Senhor fez questão de deixar claro que, enquanto os discípulos estavam cuidando da multidão e servindo-a, ele já estava separando a porção deles. O Mestre não deixa nada passar despercebido!

Fique em paz e descanse o seu coração, pois se Jesus o chamou, ele garante o caminho todo: o que é seu chegará às suas mãos! Apenas dedique-se obedientemente a fazer a obra, porque a obediência, mesmo no deserto, fez a multidão viver um milagre que é contado até os dias de hoje.

Se você chegou até este ponto do livro, é porque o Mestre conta com você! Ele quer ver sua fé em ação, para que você viva milagres no deserto! Jesus deseja que você viva na dependência dele, pois nada lhe faltará, e os seus cestos transbordarão! Prepare o seu coração, pela fé, para viver surpresas no deserto e milagres em tempos difíceis! Seja encorajado pelo Céu hoje! Levante-se e vá!

Continue ouvindo a voz de Deus!
Posicione seu celular no QR code.

Atividade prática

Feche seus olhos e faça uma oração. Peça a Deus para multiplicar e usar o que você tem para abençoar outras pessoas e impactar positivamente o ambiente ao seu redor. Anote aqui os pontos principais da sua oração, para dar testemunho no futuro.

Para reflexão

1. Em qual área da sua vida você precisa que Deus multiplique e manifeste o sobrenatural?

2. Como você se vê, pela fé, daqui a cinco anos?

Para ler em voz alta

"Ora, àquele que é poderoso para fazer tudo muito mais abundantemente além daquilo que pedimos ou pensamos, segundo o poder que em nós opera [...]." (Efésios 3.20 – ARC)

Após a leitura, repita:

Deus está multiplicando e provendo milagres para minha vida, eu creio!

Data __/__/__

Como estou me sentindo:

____

22

Ele se preocupa com você e sabe do que você precisa

A segunda multiplicação de pães e peixes

Mateus 15.29-39

Existem momentos em que nos sentimos extremamente sozinhos e necessitados, e parece que ninguém, nem mesmo Jesus, se importa com as nossas necessidades. Sofremos e acreditamos que ninguém, além de nós mesmos, vai se importar com aquilo de que precisamos, em todas as áreas — espiritual, emocional e material.

Mateus 15.29-39 relata que Jesus havia chegado ao Mar da Galileia, e a multidão o seguia. Levaram a ele muitos coxos, cegos, mudos, deficientes e muitos outros doentes para que fossem curados — e ele os curou. O Senhor mostrou preocupação com a multidão, pois já fazia três dias que o seguiam. Muitos vinham de longe e estavam com fome. Cristo poderia ter dito que já tinha feito a sua parte e que tudo o que poderia fazer naquele momento seria despedi-los. Afinal, ele já lhes havia servido o pão do Céu. Mas ele não ignorou a necessidade humana.

A Bíblia nos diz que Jesus se compadeceu da multidão, reconhecendo que aquelas pessoas estavam com fome e dizendo que não queria despedi-las em jejum para que não corressem o perigo de desfalecer no caminho. O Mestre conhece as suas necessidades; ele sabe do que você precisa para não desfalecer no meio da caminhada e entrará com providência na sua vida.

Diante da preocupação do Senhor, os discípulos alegaram que estavam no meio do deserto. E, note, essa é a segunda multiplicação, ou seja, eles já tinham visto todos os milagres, incluindo o da primeira multiplicação, quando Jesus havia alimentado uma multidão de mais de cinco mil pessoas a partir de apenas cinco pães e dois peixinhos.

Acredito que os discípulos estavam muito cansados daquela longa caminhada, tão cansados a ponto de questionar como fariam para alimentar todas aquelas pessoas. O cansaço falava mais alto que a fé e, por isso, eles apresentam ao Senhor a impossibilidade, esquecendo-se de que estavam diante do Senhor dos impossíveis. Existe o perigo muito grande de que deixemos o cansaço da caminhada, o tempo da espera, o medo e a insegurança cancelarem da nossa mente o poder do nosso Deus. Porém, Jesus traz à memória aquilo que nos dá esperança: ele é fiel na vida dos que esperam e confiam nele e jamais nos deixará desfalecer pelo caminho. Cristo nunca mandaria você ir sem lhe dar o que é necessário para chegar até o fim.

O Senhor perguntou aos discípulos quantos pães eles tinham e recebe a resposta: sete pães e alguns peixinhos. Para ele mais do que suficiente para alimentar a multidão — afinal, ele não depende de quantidade, só quer que façamos a nossa parte para que manifeste o impossível em nossa vida! Diga para Jesus o que você tem nas mãos, por pouco que seja, e ele vai direcioná-lo, para que você e sua família vivam um grande milagre! Creia que, por meio do pouco que você tem nas mãos, a providência do Céu chega, hoje, à sua casa!

Jesus ordenou que a multidão se sentasse no chão. Em seguida, pegou os pães e peixes e deu graças, passando-os aos discípulos, e estes, por sua vez, à multidão. Aqui eu vejo Jesus nos ensinando uma importante lição: *esperar*. Ele ordenou que a multidão se sentasse, o que significa pôr-se em posição de espera. E enquanto todos estavam sentados, esperando, ele providenciou o alimento. Talvez eles não estivessem entendendo por que deveriam estar sentados, mas sentar-se para esperar algo significa descansar enquanto espera. É exatamente isso que Jesus quer de nós: que descansemos enquanto esperamos, com plena confiança nele, tendo a certeza de que, enquanto aguardamos, em paz, ele está trabalhando em nosso favor e providenciando tudo de que precisamos para chegar até o fim.

Tanto na primeira quanto na segunda multiplicação, vemos Jesus agradecer ao Pai antes de o milagre acontecer, e isso nos deixa o grande ensinamento: precisamos agradecer antes de receber. Jesus não esperou ver os cestos cheios e comida suficiente para toda a multidão, ele agradeceu antes! A minha gratidão a Deus não pode estar condicionada àquilo que recebo ou que vejo. Nada disso: sou grata a ele por tudo o que ele já fez e lembrar do que ele já fez — principalmente morrer na cruz para me salvar — me enche de verdadeira esperança para receber novamente, o que eu, com fé, ponho diante dele.

A gratidão vem do reconhecimento de quem Deus é, e se eu reconheço que ele é poderoso e me ama tanto, a ponto de dar o próprio Filho para morrer por mim, andarei diante dele com um coração grato por toda a minha vida.

Continue ouvindo a voz de Deus!
Posicione seu celular no QR code.

Atividade prática

Escreva uma lista de bênçãos pelas quais você é grato a Deus, mesmo antes de receber qualquer milagre ou provisão.

Para reflexão

1. Qual é a importância de não deixar o cansaço e as dificuldades abalarem nossa fé?

2. De que modo podemos superar momentos de solidão e necessidade, sabendo que Jesus se preocupa conosco e nos conhece profundamente?

3. O que você tem nas mãos que Jesus pode usar para realizar milagres em sua vida?

PARTE 3

Deus soberano

Não há vento maior do que a autoridade do seu Deus! Não há adversidade que possa anular o destino que ele traçou para você!

Data __/__/__

Como estou me sentindo:

____

23

Obedecendo para viver o melhor

O primeiro milagre: água em vinho

João 2.1-11

Esse texto é totalmente direcionado a você que sente que perdeu o controle da situação e precisa de um milagre. Chegou a hora de você descobrir que quando os recursos da Terra se esgotam, os recursos do Céu se manifestam. Acredite! Deus pode surpreender você com o sobrenatural e promover uma intervenção poderosa a seu favor!

A Bíblia nos conta que o primeiro milagre que Jesus realizou foi em um casamento, em que o vinho havia acabado. Naquela época, o casamento durava cerca de uma semana. Convidados afluíam de todos os lugares, e uma festa sem vinho era como, hoje, um casamento sem bolo — uma festa fadada ao fracasso, que terminaria

antes do tempo. Quantas vezes passamos por circunstâncias assim, nas quais nos sentimos envergonhados? Talvez você se sinta assim, agora, em alguma área da sua vida.

Sabe qual foi o diferencial que salvou aqueles noivos? Jesus havia sido convidado para o casamento! Não é possível vencer as dificuldades da vida sem convidar Jesus para estar presente! Se você depender exclusivamente da força do seu braço, você vai sempre fracassar!

Quanto tempo mais você vai continuar questionando o que não entende? Não é porque não cabe no seu entendimento que não cabe no potencial de Jesus! Pare de medir o que ele pode fazer pelo que você consegue entender. Ele supera seu limite cognitivo e vai além!

Havia um ambiente de desespero naquele lugar. Os serviçais se sentiam preocupados, o mestre de cerimônias não sabia o que fazer... até que a mãe de Jesus lhe comunicou que o vinho havia acabado. O Mestre, então, respondeu: "Ainda não é chegada a minha hora!". Seu primeiro ensinamento é que *nosso tempo não é o dele!* Não adianta você ficar brigando e esbravejando contra o tempo de Deus, pois quem decide a hora é ele! Então, que tal descansar? Que tal deixar que o Senhor faça do jeito dele e no tempo dele? Quais são as áreas da sua vida nas quais você precisa descansar no cuidado do seu Deus? Pense nisso hoje e entregue tudo a ele. Renda-se à condução dele!

Naquele momento, Jesus deu uma ordem para que as talhas fossem enchidas de água. Ninguém questionou essa ordem, mesmo que parecesse estranho a todos. Quanto tempo mais você vai continuar questionando o que não entende? Não é porque não cabe no seu entendimento que não cabe no potencial de Jesus! Pare de medir o que ele pode fazer pelo que você consegue entender. Ele supera seu limite cognitivo e vai além!

Em seguida, Cristo ordenou que dessem o vinho ao mestre de cerimônias, para que o provasse. Ninguém entendeu nada, porque haviam acabado de encher as talhas de água, e não de vinho, mas, ainda assim, lá foram eles. Os servos encheram os recipientes com água, mas, no caminho, ela se transformou em vinho.

Isso mostra que há milagres que só acontecem quando você começa a se movimentar, mesmo sem entender como será o fim da história. Há decisões que precisam ser tomadas, chaves que têm de ser viradas, movimentos que devem acontecer, e tudo isso precisa partir de você! Por isso, pergunto: o que você tem de fazer hoje, agora, para receber o milagre que você tanto espera, debaixo da vontade soberana de Deus? Onde você precisa movimentar a sua fé para que transformações aconteçam?

Você pensa que quem está carregando a água não se sente preocupado com o desfecho da história? Claro que sim! "Que maluquice é essa? Precisamos de vinho, e ele enche isso aqui de água?", talvez tenham pensado. Perceba que, se esse foi o pensamento, o comportamento foi de obediência! Não permita que sentimentos contrários o impeçam de agir por fé. Nem sempre você vai sentir, nem sempre suas emoções vão colaborar. Por vezes, elas vão tentar lhe dizer que você está sendo tolo em acreditar nas direções de Jesus, mas *a fé não se move pelo que sente, ela se move pelo que sabe!* E o que você sabe? *Que Jesus faz milagres!*

Quando o encarregado da festa provou o vinho, disse que era melhor do que o vinho que havia sido servido antes! Ou seja: Deus precisa deixar algumas situações se encerrarem em nossa vida para que ele apresente o seu melhor!

Você pensou que tinha sido frustrado em certa situação? Pois você descobrirá que Jesus deixou aquilo tudo terminar para lhe apresentar o novo tempo que ele tem para sua vida!

Mande, hoje, esse sentimento de frustração embora! Despeça--se das bagagens do medo e diga-lhes quanto Deus tem cuidado de você! Só parecia o fim, mas era o começo do melhor! Creia: o que parecia ser a pior fase será o início do melhor de Deus!

Continue ouvindo a voz de Deus!
Posicione seu celular no QR code.

Atividade prática

O que Jesus já lhe disse para fazer, mas o medo o impediu, por parecer ser estranho demais? Quantas coisas você pode ter deixado de viver por não ter obedecido à voz de Deus? Você sabia que, quando Deus nos promete algo, só nós mesmos, com o nosso comportamento, podemos impedir o trabalhar de Deus? Liste aqui as vezes em que você permitiu que seu comportamento — por meio de medo, insegurança e desobediência — tirassem de você as bênçãos que já estavam preparadas para a sua vida.

____

____

____

Para reflexão

1. Você está disposto a aprender com os erros do passado, ciente de que nem sempre precisamos entender antes de obedecer e tomar novas atitudes diante de uma ordem de Deus? De quais bagagens você precisa se livrar para experimentar o vinho novo que já está preparado para você?

____

____

____

2. Em quais áreas da vida você precisa descansar no cuidado de Deus e confiar que ele vai agir?

____

____

____

Para ler em voz alta

"Não tenha medo, pois estou com você; não desanime, pois eu sou o teu Deus. Eu o fortalecerei e o ajudarei."
(Isaías 41.10a – NVT)

Após a leitura, repita:

Eu me arrependo de todas as vezes em que deixei que meus sentimentos tomassem o lugar da fé. A partir de hoje, não temerei, pois sei que Deus é comigo, fortalece-me e me ajuda. Decido obedecer-lhe para viver tudo o que já está preparado para mim.

Data __/__/__

Como estou me sentindo:

____

24

Fingir ou frutificar

A figueira é amaldiçoada

Mateus 21.18,19; Marcos 11.12-14

Fingir ser o que não é, manter aparências, adotar personagens para caber em lugares e se encaixar em padrões — esse tem sido o foco principal da geração atual, que alega ter o que não tem para mostrar ser o que não é.

Estamos sendo tentados todos os dias a um comportamento igual a esse quando usamos máscaras para pessoas, quando entramos na igreja e simulamos uma adoração que dentro de nós não é verdadeira. Afinal, fingir é mais fácil do que reconhecer e tratar. Só que eu tenho percebido todos os dias que o que Jesus quer não é aparência, mas *essência!*

A Bíblia nos conta que um dia Jesus se aproximou de uma figueira à beira do caminho, mas só encontrou folhas. Por isso, emitiu uma sentença: "Nunca mais dê frutos!". Sabe por quê? Biologicamente falando, antes de iniciar o crescimento de sua folhagem, uma figueira começa a produção dos frutos, ou seja, ao encontrarmos uma figueira com folhas, isso significa que ela já tem frutos. Mas não era o caso dessa figueira. Ela era aparentemente bonita, fértil e frondosa, mas o seu principal papel ela não cumpria, o de frutificar.

Quantas vezes estamos assim diante de Deus? Somos bons frequentadores de cultos e praticantes de rituais, mas péssimos na frutificação. Gálatas 5 apresenta as diferenças entre as obras da carne e o fruto do Espírito: "Porque a carne cobiça contra o Espírito, e o Espírito, contra a carne; e estes opõem-se um ao outro; para que não façais o que quereis" (v. 17 – ARC).

É nítido que há uma guerra travada dentro de nós, e todos os dias a carne tenta nos derrubar para que realizemos suas obras. São levantes espirituais, pessoais, emocionais e familiares, entre outros. Você precisa ser sincero com você mesmo e se questionar: "Tenho frutificado no Espírito ou tenho estado vazio de Deus e cheio da minha carne?". Algumas coisas não são obras do diabo, mas da carne, isto é, da natureza decaída do homem. As obras da carne são:

[...] adultério, prostituição, impureza, lascívia, idolatria, feitiçaria, inimizades, porfias, emulações, iras, pelejas, dissensões, heresias, invejas, homicídios, bebedices, glutonarias, e coisas semelhantes a estas, acerca das quais vos declaro, como já antes vos disse, que os que cometem tais coisas não herdarão o reino de Deus.

Gálatas 5.19-21 – ACF

Mas, graças a Deus, há alguém que todos os dias se apresenta para nos ajudar, alertar e ensinar a viver uma vida abundante, de maneira que todas as pessoas que se encontrem conosco saiam abastecidas pelos frutos que serão produzidos em nós. Do mesmo modo que há uma guerra na carne, há um frutificar espiritual separado para você. Deixe-me lhe apresentar o fruto do Espírito e suas evidências: "Mas o fruto do Espírito é: amor, gozo, paz, longanimidade, benignidade, bondade, fé, mansidão, temperança. Contra estas coisas não há lei" (Gálatas 5.22,23 – ACF).

O Espírito Santo quer produzir essas virtudes no seu interior, para que de você jorrem os rios de que Jesus falou! Você pode preencher sua alma de toda alegria, paz, bondade, fé... *tudo isso está disponível para você!*

Aquela figueira era uma árvore aparentemente fértil, mas, na verdade, não havia produzido fruto algum. A aparência comunicava estar cheia, mas, no seu interior, estava completamente vazia. Muitas vezes, é assim que nos encontramos: mesmo que criados para sermos frutíferos em tudo o que fizermos, se não estivermos atentos, ficaremos estagnados, sem produzir bons frutos.

Jesus estava com fome e desejou encontrar naquela árvore um fruto. Ou seja, se ele desejasse encontrar folhas nela, não a teria amaldiçoado, pois ela estaria satisfazendo o desejo do coração do Mestre. A figueira poderia servir para dar sombra, mas não estava gerando frutos pelos quais o Senhor poderia se alimentar quando teve fome.

A improdutividade, para muitos, pode significar só "não estar fazendo nada", mas não era o caso daquela figueira: ela estava frondosa na folhagem, mas não tinha aquilo que o Mestre esperava. Portanto, ser improdutivo significa, no reino espiritual, ter sucesso naquilo em que Deus não quer que você tenha. Significa não corresponder ao que o Senhor planejou que você realizasse.

Quando não cumprimos o papel para o qual fomos criados, não prejudicamos somente a nós mesmos, mas a todos que

A improdutividade, para muitos, pode significar só "não estar fazendo nada", mas não era o caso daquela figueira: ela estava frondosa na folhagem, mas não tinha aquilo que o Mestre esperava. Portanto, ser improdutivo significa, no reino espiritual, ter sucesso naquilo em que Deus não quer que você tenha.

passariam por nós e poderiam receber alimento fresco da nossa vida. Porque o que Deus nos chama para fazer nunca tem o fim em nós mesmos, mas influencia e impacta todos que estão ao redor.

Jesus ensinou ali algo importantíssimo sobre fé para os discípulos: ela tem o poder de influenciar o mundo natural, de transformar o fluxo considerado natural por meio de uma palavra declarada — a fé pode dar vida ao que está morto ou destruir o que não faz mais sentido na sua vida.

Que Deus nos livre de sermos produtivos onde ele não quer a nossa produtividade! Que o Senhor nos guarde de folhagens que são sombras para muitos, mas não cumprem o papel que o Mestre deseja!

Você frutificará! Creia que sua vida será um testemunho vivo de toda bondade de Deus sobre a Terra! Dê seu melhor para que o Mestre encontre em você tudo o que ele deseja! Creia que Deus, hoje, levanta-o para viver um novo tempo!

Continue ouvindo a voz de Deus!
Posicione seu celular no QR code.

Atividade prática

Faça uma reflexão de sua vida por meio da Palavra e entenda se você tem se preocupado em gerar frutos da verdade ou somente frutos aparentes. Com sinceridade, liste os frutos que tem produzido.

Para reflexão

1. Faça uma autoanálise e procure dentro de você uma ferida, um sentimento ou um acontecimento que o leva a querer viver de aparências e, assim, continuar tentando enganar Deus, as pessoas e você mesmo.

2. Continuando a sua autoanálise, o que você pretende fazer para começar a produzir ou continuar produzindo o fruto do Espírito?

Para ler em voz alta

"Eu sou a videira, vós as varas; quem está em mim, e eu nele, esse dá muito fruto; porque sem mim nada podeis fazer. Se alguém não estiver em mim, será lançado fora, como a vara, e secará; e os colhem e lançam no fogo, e ardem."
(João 15.5,6 – ACF)

Após a leitura, repita:

Eu me recuso a continuar produzindo frutos de engano e me levanto para produzir frutos da verdade, por meio do fruto do Espírito.

Data __/__/__

Como estou me sentindo:

____

25

Fique firme, essa tempestade vai passar!

Jesus acalma a tempestade

Mateus 8.23-27; Marcos 4.35-41; Lucas 8.22-25

Já quero começar esse texto lembrando você que não importa a força da tempestade que está enfrentando, ela está sujeita à autoridade de Jesus! Às vezes, passamos por momentos tão difíceis e desafiadores que nos sentimos extremamente vulneráveis. Sei quanto é difícil passar por isso e, por essa razão, já comecei acalmando o seu coração. Nessas circunstâncias, tudo de que precisamos é que alguém ou algo nos lembre de que Jesus continua no barco, mesmo que tudo pareça perdido.

A Bíblia relata que, certo dia, os discípulos se sentiram assim como você. Jesus os convidou a entrar no barco para ir ao outro lado do Mar da Galileia, à aldeia dos gadarenos. Eles obedeceram rapidamente à direção do Mestre e foram.

Talvez você se questione pelo fato de que Jesus nem mesmo perguntou se eles queriam ou não ir. É isso mesmo: o Senhor não perguntou, apenas os chamou para ir. A realidade é que, na maioria das vezes, Cristo nos conduz a direções a que não queríamos ir, que não faziam parte dos nossos planos. Mais do que isso: para estar com ele, vamos precisar abrir mão de muitas coisas para além de nossas rotas pessoais. Também precisaremos abdicar de pessoas: a Bíblia diz que apenas Jesus e os Doze estavam no barco, embora minutos antes o Senhor estivesse ensinando a multidão (no meio da qual estavam os discípulos).

Que desafiador! Você perceber que foi chamado do meio de pessoas, de parentes e de sonhos pessoais. Jesus simplesmente disse: "Vem!". E lá foi você, sem hesitar. Só que para cumprir esse chamado, você teve de deixar muito para trás. Às vezes, sentimos saudades de estar na areia da praia, com a multidão, e, mesmo amando ter aceitado o convite de Jesus, às vezes parece que onde estávamos antes era mais fácil de viver.

Ser chamado *dói!* As renúncias do chamado *doem*. As incompreensões do chamado *doem*. Não é todo mundo que está preparado para ver você "mudar" ou "ir". Por isso, você acaba tentando ser compreendido por todos e, no processo, vai se ferindo. Mas eu aprendo com os discípulos que, quando chega a hora de ir, temos de *simplesmente ir!* Entendeu? Assim mesmo! Sem explicar muita coisa, sem esperar muita aprovação, apenas *ir*. Se você está convicto de que quem o está chamando para ir é o Mestre, *apenas vá!*

A Bíblia diz: "E eles foram". Assim. Sem muito rodeio. Vá! Apenas vá! Deixe que Jesus responda por você tudo o que precisar ser respondido, apenas vá! O *vem* de Jesus garante a jornada.

Embora tudo nos pareça lindo quando falamos, na prática, sabemos que não é bem assim, não é? Choramos, sentimos falta de situações que vivíamos antes, lutamos para não retroceder. Mas Jesus sabe *exatamente* quais são as suas inquietações nesse processo! Ele tem cuidado de você todos os dias, mesmo que você não perceba!

No meio disso tudo, o pior é ler no texto que, mesmo estando os Doze debaixo de uma palavra, tendo lutado e renunciado para ir, no meio do caminho se levanta uma grande tempestade. Tem noção disso? Como lidar com fases que a gente não escolheu, mas que Jesus autoriza que cheguem? Como continuar confiando em Cristo mesmo quando parece que tudo saiu do controle dele?

Por ser uma região cercada por montanhas, cerca de duzentos metros abaixo do nível do mar, o Mar da Galileia, onde eles estavam, era um cenário comum para algumas tempestades se formarem. Sim, Jesus os levou a um lugar onde poderia haver tempestades, você acredita nisso? Aquele era o caminho para a chegada! Entender isso pode ser difícil, uma vez que esperamos que o Senhor facilite os nossos caminhos. Mas eu vim, hoje, dizer-lhe que não serão os caminhos que ficarão mais fáceis, será você que ficará mais forte! Aleluia!

Aqueles homens clamaram ao Mestre, que estava dormindo sobre uma almofada. Marcos 4.35-41 informa que naquele barco havia uma almofada. Ou seja, Jesus estava ensinando aos discípulos qual é a postura que se deve tomar em meio às tempestades que se levantam quando estamos debaixo da direção de Deus: *descansar!* Se no barco há uma almofada, use-a! Desfrute da certeza de que quem o chamou para o barco garante a sua segurança!

Jesus estava ensinando aos discípulos qual é a postura que se deve tomar em meio às tempestades que se levantam quando estamos debaixo da direção de Deus: descansar! *Se no barco há uma almofada, use-a! Desfrute da certeza de que quem o chamou para o barco garante a sua segurança!*

Os Doze, desesperados, chamaram Jesus, que imediatamente se levantou, repreendeu o vento e disse ao mar: "*Cala-te! Aquieta-te!*". E imediatamente fez-se bonança! Aleluia! Como é maravilhoso ler isso e trazer à memória o poder do Deus a quem servimos! Eu não sei se, ao ler essa passagem bíblica, você consegue sentir o que eu sinto ao escrever, mas *não há vento maior* do que a autoridade do seu Deus! Não há adversidade que possa anular o destino que ele traçou para você!

Esse vento vai cessar! Deus se manifestará por você! Você consegue crer? "Ah, Gabi, eu estou na minha pior fase, você não imagina como está difícil", você poderia dizer. Não imagino mesmo, mas creia que nos seus piores momentos você vai viver os seus *maiores* milagres!

Os discípulos ficaram assustados com aquela autoridade, e Jesus pergunta a eles: "Por que vocês são tão tímidos? Como ainda não têm fé?". Ou seja, aquela tempestade mostrou aos Doze que ainda havia muitas áreas da vida deles que precisavam ser transformadas pelo Senhor para que eles vivessem num nível mais elevado. Acredito que essa fase que você está vivendo está produzindo um crescimento inédito! Acredito que você tem amadurecido espiritualmente, e Deus o tem forjado para projetos maiores!

Quem é este? "Quem é este que até o vento e o mar lhe obedecem?", eles disseram. Que pergunta! Como assim "quem é este"? É Jesus! Assim como aqueles homens, será que você não está frequentando os lugares onde ele está, vendo o que ele faz, mas ainda não o conhece como deveria?

Saiba que Deus não autoriza nada sem um propósito em nossa vida. Prepare-se para sair melhor desse processo! Prepare-se para vencer seus maiores medos e se tornar quem Deus disse que você seria!

Quero terminar dizendo que, apesar dos ventos, dos medos e das aflições, *eles chegaram* do outro lado! Exatamente como Jesus falou, foi o que aconteceu! Guarde isto: *nada do que você está vivendo* anulou a palavra que Jesus liberou para sua vida! O que ele prometeu ainda está de pé! Tudo o que ele falou vai se cumprir!

Ao terminar essa leitura, faça um ato de fé: agradeça pela sua chegada! "Ah, Gabi, mas eu ainda estou muito longe!", você poderia dizer. Mas a fé não se move pelo que se vê, ela se move por aquilo em que acredita. Enquanto você agradece, mostra ao adversário que o seu momento atual não define o seu futuro! Você vai chegar lá! Deus vai fazer! Haverá sorrisos! Haverá uma nova história! Creia nisso! Deus abraça você e o faz voltar a crer!

Continue ouvindo a voz de Deus!
Posicione seu celular no QR code.

Atividade prática

Descreva algumas situações que inquietam ou assustam você e ore sobre elas. Escreva aqui sua oração.

Para reflexão

1. Quais são as áreas da sua vida em que você precisa abrir mão das expectativas dos outros e seguir o chamado de Jesus, mesmo que isso signifique enfrentar ventos contrários?

2. Quais são os medos que permeiam seus pensamentos quando você pensa no futuro?

Para ler em voz alta

"Não temas, porque eu sou contigo; não te assombres, porque eu sou teu Deus; eu te fortaleço, e te ajudo, e te sustento com a destra da minha justiça." (Isaías 41.10 – ACF)

"Quando passares pelas águas, eu serei contigo; quando, pelos rios, eles não te submergirão; quando passares pelo fogo, não te queimarás, nem a chama arderá em ti." (Isaías 43.2 – ARA)

Após a leitura, repita:

Senhor, eu renuncio a todo medo e toda dúvida e deposito a minha fé totalmente em ti e no teu poder. Perdoa-me se, às vezes, tenho medo, mas confesso que toda minha esperança e confiança estão em ti, Jesus!

26

Fantasmas criados pelo medo

Jesus anda sobre as águas

Mateus 14.22-32

Tenho certeza de que, em algum momento da sua vida, você já viveu situações em que seu medo criou vários fantasmas que nunca existiram. Sabe aquela peça de roupa na cadeira ou pendurada na porta que, para nossa mente, formam silhuetas amedrontadoras, mas que, ao acendermos a luz, instantaneamente desaparecem? O medo do escuro tem o poder de criar imagens ilusórias! E quando falo de escuro, refiro-me a qualquer situação em que não tenhamos controle. Isso aconteceu com os discípulos quando Jesus andou sobre as águas.

Muitos hinos já foram compostos a partir desse milagre, pregações foram feitas e até paródias e memes na internet! Mas ao refletir sobre ele, uma esperança brota em meu interior: Jesus caminha sobre aquilo que me apavora! Ele é a luz acesa nos medos que os escuros da vida criaram em mim!

Os discípulos estão dentro do barco, no meio do Mar da Galileia, seguindo a ordem do Mestre, que os mandou atravessar para o outro lado enquanto ele despedia a multidão. Eles estavam sendo duramente assolados pelas ondas, porque os ventos eram contrários. E precisamos, desde agora, entender que não é só porque estamos seguindo a direção do Mestre que os ventos sempre nos serão favoráveis. Talvez você já tenha vivido essa situação, obedeceu e, em vez de as coisas melhorarem, pioraram! Quem sabe, até, você já usou a expressão: "Quanto mais eu rezo, mais assombração me aparecem". Porque é assim: tempestades, forças contrárias e mares bravios aparecerão na nossa trajetória de vida com Deus, tentando nos fazer desacreditar que o Jesus que disse que estaria conosco nos desamparou! Mas glória a Deus, porque, quando parece que o pavor vai nos consumir e as ondas afundarão o nosso barco, ele vem caminhando por cima das águas!

Oh, glória! Parece que o vejo recitar para nós o que Deus falou ao povo hebreu por meio do profeta Isaías:

Mas agora assim diz o Senhor, aquele que o criou, ó Jacó, aquele que o formou, ó Israel: "Não tema, pois eu o resgatei; eu o chamei pelo nome; você é meu. Quando você atravessar as águas, eu estarei com você; quando você atravessar os rios, eles não o encobrirão. Quando você andar através

do fogo, não se queimará; as chamas não o deixarão em brasas. Pois eu sou o SENHOR, o seu Deus, o Santo de Israel, o seu Salvador [...]".

Isaías 43.1-3

Maior do que seus medos e que o mar bravio é o Senhor do Universo! Glória seja dada a ele eternamente! Muitas vezes, Jesus chega à nossa história caminhando por sobre nossos medos, mas estamos tão apavorados que não conseguimos reconhecê-lo! Só porque ele não veio da forma que esperávamos, pelo veículo que imaginávamos, não significa que não é ele a se manifestar! Porque, em sua multiforme graça, ele continua operando nos dias de hoje — talvez não como você esperava, mas da maneira que precisava! Ele apareceu aos discípulos, dizendo: "Ei! Animem-se! Não precisam ter medo, *sou eu!*"; do mesmo modo, será que, hoje, você é o corajoso que, ao dar ouvidos ao Mestre, está disposto a andar sobre tudo aquilo que o apavora?

Deus não lhe deu um espírito de medo! Quem está próximo dele não teme o que apavora. Pense nisto: estar próximo do Mestre tira de você o temor, porque é ele quem destrói o mal que o amedrontava, traz paz para a sua alma, enche-o de alegria, renova suas forças, enche-o de ânimo novo para avançar.

Não permita que o medo o impeça de ir além com ele. Não permita que o medo continue criando fantasmas imaginários, impedindo você de desfrutar do sobrenatural. Nesse milagre, há um discípulo ousado, que decidiu ir em direção ao Mestre, enfrentando a tempestade, o vendaval e as ondas. Mas, em meio a todo aquele caos, por conta do medo, Pedro tirou os olhos daquele em quem deveria focar e afundou! Em tempo, lembrou-se de que o Mestre estava perto e gritou por socorro.

Os medos sempre tentarão tirar o seu foco de quem pode fazê-lo avançar sobre eles, pois são a distração do inimigo para não vê-lo romper. Arrisque-se a ir ter com Jesus, mesmo que no meio do caminho você fracasse. Lembre-se de que ele estará sempre perto para atender-lhe. Cristo estará sempre perto para segurar a sua mão. Há uma nova fase à sua espera, e nela você terá a fé aumentada para não duvidar, não questionar e não ter medo. Nessa nova fase, o Mestre andará com você por sobre as águas. E talvez você se questione: e o vendaval? Como no versículo 32, os ventos cessarão! Porque o mesmo Jesus que estava com os discípulos também está com você, fará cessar todo vento contrário e o fará romper em fé!

Será que, hoje, você é o corajoso que, ao dar ouvidos ao Mestre, está disposto a andar sobre tudo aquilo que o apavora?

Continue ouvindo a voz de Deus!
Posicione seu celular no QR code.

Atividade prática

Será que a partir de agora você consegue perceber que quem está diante de você não quer lhe causar medo, mas deseja fazer você andar por cima deles? Agora volte um pouquinho até a sua infância, lembre e cite todos os medos que sentia (pergunte a seus pais ou a alguém que possa lembrar melhor que você) e que pareciam tão reais, mas, hoje, com outro olhar, tornaram-se totalmente infundados.

____

____

____

____

Para reflexão

1. Para quais áreas da sua vida você recebeu uma palavra do Mestre, mas, por causa dos ventos e das circunstâncias, foi paralisado pelo medo — e você reconhece que está difícil manter o foco na palavra liberada e não ter medo?

____

____

____

2. Depois dessa leitura, que atitudes você pretende tomar para neutralizar o medo e seguir em direção ao seu destino?

____

____

____

Para ler em voz alta

"Tu te aproximaste quando a ti clamei, e disseste:
'Não tenha medo'." (Lamentações 3.57)

"Eu é que sei os pensamentos que tenho sobre vós, diz o Senhor;
pensamentos de paz e não de mal, para vos dar o
fim que desejais." (Jeremias 29.11 – ARA)

Após a leitura, repita:

Senhor, perdoa-me pelas vezes em que permiti que o medo me paralisasse, mesmo sabendo que tu és fiel para nunca me abandonar. Perdoa-me por magoar teu coração com minhas dúvidas e meus receios diante da tua palavra liberada a mim. Senhor, que a minha fé em ti seja tão grande a ponto de abafar todo o medo. Eu repreendo o medo em minha vida, pois sei que tu estás comigo. Em nome de Jesus. Amém.

PARTE 4
Deus de libertação

Quanto mais gigantes
se levantarem, mais de
pé você precisa ficar!
O inimigo da sua
alma está achando que
vai enfraquecer seus
braços e roubar sua
força, mas creia que,
quanto mais
ele se levantar, mais
graça Deus lhe dará!

Data __/__/__

Como estou me sentindo:

____

27

Sua posição anula decretos do inferno

A filha da cananeia

Mateus 15.21-28

Às vezes, Deus põe um projeto em nosso coração que vai além daquilo que podemos alcançar com nosso próprio braço, mas a Palavra dele diz que seu poder se aperfeiçoa na fraqueza, portanto fique tranquilo! Muitas vezes, vemo-nos diante de circunstâncias que fazem com que nos sintamos impotentes, mas devemos ter fé e confiar.

A Bíblia relata a história de uma mulher que também se sentiu assim. O texto não revela seu nome, sabemos apenas que era cananeia, que o diabo havia possuído a sua filha e que lhe parecia não haver solução para aquilo. Mas Jesus estava passando pelas regiões de Tiro e Sidom, e ela decidiu que quebraria a sentença que havia

Nós precisamos ter maturidade para lidar com as coisas que não ocorrem como desejamos, pois Deus não é obrigado a fazer do nosso jeito, nem no nosso tempo!

sobre sua casa. Por isso, saiu em direção ao Senhor clamando por libertação!

A primeira arma de que você precisa para entrar numa guerra contra as forças espirituais da maldade já sendo um vencedor se chama *discernimento*! Muitas pessoas entram em guerras espirituais usando armas carnais, o que torna impossível vencer! Mas aquela mulher já apareceu identificando o que havia dentro da casa dela.

Já parou para se perguntar se tudo o que tem acontecido no meio da sua família é normal? Seja específico em suas orações e ore: "Deus, eu quero discernimento sobre o que está acontecendo aqui dentro!". *Discernimento*, a palavra é essa!

Há muitas pessoas enganadas dentro de sua própria casa, mas você precisa crer que Deus derrama discernimento sobre a sua vida! Você não vai continuar enganado no meio dessa guerra, pois o Senhor pode abrir sua visão e sua audição! Você poderá enxergar à frente do seu tempo, para desarticular planos e projetos do adversário contra a sua família!

O texto bíblico mostra que Jesus não operou da forma que aquela mulher queria, pois não agiu no tempo dela, não lhe respondeu na hora esperada. Nós precisamos ter maturidade para lidar com as coisas que não ocorrem como desejamos, pois Deus não é obrigado a fazer do nosso jeito, nem no nosso tempo!

Mas sabe o que aquela mãe fez? Decidiu continuar! Da mesma forma, você precisa continuar, mesmo que as coisas não tenham saído do seu jeito, tudo lhe pareça estranho e haja dores e marcas em sua alma. Decida continuar! Por você, pela sua família e pelas pessoas que serão abençoadas por meio da sua vida. Decida não parar!

Sabe por que lhe digo isso? O seu posicionamento pode mexer com o mundo espiritual de um jeito que você nem imagina. Creia nisso! Creia que a sua entrega não está sendo em vão! Deus vê todos os seus esforços!

Quanto mais gigantes se levantarem, mais de pé você precisa ficar! O inimigo da sua alma está achando que vai enfraquecer seus braços e roubar sua força, mas creia que, quanto mais ele se levantar, mais graça Deus lhe dará! O inimigo quer fazer você parar e retroceder, mas a palavra de Deus para sua vida é: *continue!*

Suas forças estão se esgotando? Você está se sentindo exaurido, sem forças até para falar?! Então, ao ler este texto, o Deus do renovo se apresenta para você! Não desista dos projetos que ele colocou em seu coração! Não desista da sua família!

Aquela mulher rompeu todas as barreiras e chegou diante do Mestre, assim como você também vai chegar! "Mulher, grande é a tua fé!", Jesus disse. Isso mostra que uma pessoa determinada faz situações impossíveis se tornarem possíveis. E o Senhor disse a ela: "Que seja feito conforme tu desejas". Naquela mesma hora, a filha dela ficou livre. Isso quer dizer que *parou ali!* Nunca mais aconteceu!

Entende o que Deus está lhe dizendo? Ele põe limites nas ações do inimigo contra você e sua casa e diz: *acabou!* Uma decisão celestial impõe limites ao que estava machucando o seu coração! Creia que, hoje, Deus interrompe a ação das trevas que trazia destruição para a sua vida e sua casa! Receba, em nome de Jesus!

Você é um instrumento de Deus onde está! Nenhuma arma preparada contra você prosperará! Creia que, hoje, o Senhor decreta sobre a sua vida que vai colocar no lugar *tudo* o que estava em desordem! Creia nisso e seja abraçado pelo Espírito Santo!

Continue ouvindo a voz de Deus!
Posicione seu celular no QR code.

Atividade prática

Faça uma avaliação de tudo o que tem acontecido com você e sua família nos últimos tempos. Anote aqui. Levante a sua voz neste momento e peça a Deus o discernimento de que precisa para vencer essa guerra e ver a si e sua família livres das ameaças e sentenças do mal. Guerras espirituais só serão vencidas com armas espirituais em Deus.

____

____

____

Para reflexão

1. Você consegue separar o espiritual do natural? Separe os acontecimentos e comportamentos que você julga serem espirituais dos naturais, pedindo discernimento do Espírito Santo para isso.

____

____

____

2. Depois de ter discernido que existem fatos espirituais acontecendo, que posicionamento você pretende tomar? Vai se levantar para defender sua casa e seus projetos ou simplesmente vai fingir que nada de anormal está acontecendo?

____

____

____

Para ler em voz alta

"Portanto, tomai toda a armadura de Deus, para que possais resistir no dia mau e, havendo feito tudo, ficar firmes."
(Efésios 6.13 – ACF)

Após a leitura, repita:

Eu me posiciono em Deus, por meio de obediência, Palavra, oração e jejum, e me aproprio das armas espirituais necessárias para defender minha vida e minha família de toda ameaça de destruição que Satanás lançou sobre nós.

Data __/__/__

Como estou me sentindo:

____

O libertador chegou

O endemoniado de Gadara

Marcos 5.1-20

Falar do mundo espiritual não é fácil! Falar de um mundo invisível, onde existem as forças do bem e do mal, parece fantasia! Falar sobre demônios e possessões é ainda mais difícil em um mundo onde o importante é aquilo que se vê, e o que é palpável é tido como verdade absoluta! As redes sociais estão cheias de personagens, artistas que mostram aquilo que as pessoas querem ver e que têm saciado a fome do engano, da mentira, da ilusão.

Às vezes, por não acreditar que possa existir um mundo espiritual da maldade, vivemos como se o que a Bíblia diz fosse verdade somente até certo ponto: Jesus salva, cura, dá livramento, abre portas, cumpre promessas, faz-nos prosperar, envia anjos e muito mais, mas e o restante, do qual o próprio Jesus tanto falou e alertou? Onde fica em nossa vida?

Marcos 5.1-20 nos conta uma história totalmente diferente, nada sutil, sem disfarces, de um homem possesso por espíritos imundos na cidade de Gadara. A Bíblia relata que, não importava a maneira como tentassem prendê-lo, ele arrebentava todas as cadeias, vivia nos cemitérios e clamando pelos montes e pelos sepulcros, ferindo-se com pedras. Parecia que o cemitério era o lugar dele, porque, aparentemente, ele nunca sairia daquele estado de morte.

Jesus resolveu ir para Gadara. Ele estava atravessando o Mar da Galileia com seus discípulos em direção àquela cidade quando uma grande tempestade assolou a embarcação. O vento soprou forte, o mar se agitou e os discípulos tiveram muito medo, mas Jesus dormia tranquilo. Apavorados, os discípulos o despertaram. O que ele fez? Repreendeu o vento e disse ao mar que se calasse e aquietasse.

Eu pergunto: se o vento precisou ser repreendido, quem estava agindo no vento? Se o mar precisou ser calado, quem estava agindo no mar? Não nos esqueçamos de que eles estavam indo em direção àquele homem, e as forças espirituais da maldade já podiam imaginar o que aconteceria se Jesus o encontrasse.

O inimigo da sua alma sempre vai tentar impedir que você alcance seu propósito. Ele vai tentar amedrontá-lo, mas Jesus está presente no barco para repreender todo plano do inimigo contra você, sua casa e sua chegada ao lugar que ele já determinou para a sua vida.

O primeiro versículo do capítulo 5 diz: "Chegaram ao outro lado do mar". Eu já quero lhe dizer que não importa o tamanho da resistência que o inimigo tem feito contra você, com Jesus você vai chegar!

Ao descer do barco, Jesus encontrou aquele homem possesso, que saiu do meio dos sepulcros e foi em direção a ele. Ao vê-lo de longe, correu e o adorou. Adorou! Sim, os demônios, além de precisar reconhecer quem Jesus era, tentaram uma negociação "amigável". Mas Jesus, que jamais se permitiria passar por aquele homem e deixá-lo daquela maneira, expulsou-os.

Cristo sabe quanto o inimigo quer destruir o homem para afrontar a Deus. Ele pega alguém que foi criado para ser a coroa da criação de Deus e o deixa num estado deplorável quanto o daquele rapaz de Gadara. Quando estava refletindo sobre esse homem, fiquei impactada, pensando a que estado pode chegar alguém que dá abertura para o inimigo, direta ou indiretamente. Diretamente são aquelas pessoas que sabem do que ele é capaz de fazer, mas, seduzidas por fama, poder e dinheiro, resolvem negar a Cristo para agradar o diabo. Indiretamente, abrimos a porta para ele com sentimentos de ódio, rancor, insatisfação e falta de perdão.

Fiquei refletindo sobre a covardia daqueles espíritos imundos ao fazer aquilo com o homem e os estragos que causaram nos aspectos emocional e físico dele. A Bíblia diz que, quando Jesus perguntou o nome daquele espírito, ele se apresentou como legião, porque eram muitos. Falando de um exército romano, uma legião compreendia entre cinco e seis mil soldados, mas não podemos afirmar exatamente quantos demônios eram. Isso pode fazer diferença para mim e para você, que somos meros seres humanos, e é natural que o desconhecido nos cause algum temor. Mas, para Jesus, a quantidade de demônios não tem peso algum, pois o mesmo poder que manda um espírito imundo ir embora também expulsa uma legião.

A Bíblia relata que aquele homem se cortava com pedras. Talvez, em algum momento de fraca lucidez, ele tentasse arrancar de dentro de si aquela dor e acabar com aquele tormento, aquela tortura. Eu não sei o que levou aquele homem a ficar naquele estado, e nunca vamos saber, mas o que sei é que Jesus chegou a Gadara e mudou, por seu poder e autoridade, um estado que parecia irreversível.

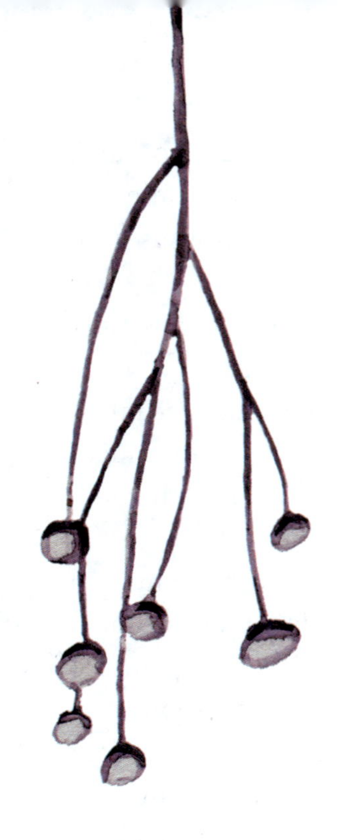

Eu quero alertar você, que se identificou com um tipo de comportamento apontado em alguma parte desta leitura. Talvez você tenha se deixado seduzir pelas sutilezas de Satanás ou nutra algum sentimento que abre portas para que o inimigo entre em sua vida. Ou, quem sabe, você mesmo ou alguém que conhece está numa situação de possessão maligna. Se você sente que demônios estão atacando o seu emocional com mentiras, dizendo que é o seu fim e que desse estado você não sairá mais, saiba que o Senhor Jesus está na sua Gadara, trazendo a sua libertação e a derrota do adversário!

Para Jesus, a quantidade de demônios não tem peso algum, pois o mesmo poder que manda um espírito imundo ir embora também expulsa uma legião.

Sabe por que os espíritos faziam com que aquele homem habitasse os sepulcros? Creio que queriam dizer a ele que tudo o que poderia esperar era a morte — e mais nada. Eles estão dizendo a mesma coisa para você? Será que os demônios já conseguiram sepultar seus projetos, sonhos e esperanças de ter um futuro? Será que eles sepultaram as esperanças de ver a transformação de sua casa e sua família e, com isso, têm minado a sua fé? Se é o caso, saiba que Jesus tem poder para reverter o que parece irreversível! Ele manda embora a angústia, a dor e o desespero e acaba com a covardia do diabo, levantando você para um novo tempo!

Aquele homem que as pessoas achavam que não tinha mais jeito foi liberto e ficou limpo e lúcido. Em seguida, ele pediu a Jesus para seguir com ele, mas o Mestre lhe disse que voltasse para casa e testemunhasse tudo o que Deus havia feito, por seu poder e misericórdia. O homem obedeceu e foi uma testemunha viva do poder de Jesus.

Você também é uma testemunha viva do poder de Jesus! Todos verão e entenderão que você foi alcançado pelo amor, poder e misericórdia de Jesus!

Continue ouvindo a voz de Deus!
Posicione seu celular no QR code.

Atividade prática

O que o influencia e chama mais sua atenção: as pessoas que vivem segundo as verdades bíblicas ou aquelas vazias de Deus e cheias de si mesmas que vivem uma vida de inversão de valores e sedução das trevas? Pegue seu telefone, suas redes sociais, peça direção ao Espírito Santo da verdade e faça uma limpeza, orando ao Senhor e prometendo a ele que, a partir de agora, você deseja fechar as portas de entrada para o mundo espiritual da maldade em sua vida.

____

____

____

Para reflexão

1. Quais são as áreas de sua vida em que você se sente aprisionado e que, a partir desta leitura, você entendeu que pode haver influência do mundo espiritual? Escreva todas.

____

____

____

2. Quais são as dificuldades que você tem vivido, nas quais não vê mais possibilidade de mudança, e tudo que você consegue enxergar é o fim? Escreva todas.

____

____

____

Para ler em voz alta

"Aquele que pratica o pecado é do Diabo, porque o Diabo vem pecando desde o princípio. Para isso o Filho de Deus se manifestou: para destruir as obras do Diabo." (1 João 3.8)

"Pois ele nos resgatou do domínio das trevas e nos transportou para o Reino do seu Filho amado, em quem temos a redenção, a saber, o perdão dos pecados." (Colossenses 1.13)

Após a leitura, repita:

Senhor, eu peço que me cubras com o teu sangue e declaro que renuncio a toda influência do mal que tem me afastado de ti e me feito andar longe de tudo que, com tanto amor, o Senhor preparou para a minha vida. Eu tomo posse, por meio de um novo posicionamento, de toda autoridade que o teu nome me deu, por intermédio da tua morte e ressurreição. Uso essa autoridade para clamar por minha vida, minha casa e meus projetos e dizer para toda voz de intimidação e acusação que o sangue de Jesus me purifica de todo pecado [dê nome aos pecados] por meio do meu sincero arrependimento. [Peça perdão ao Senhor]. Em teu nome. Amém.

Data __/__/__

Como estou me sentindo:

____

29

Discernindo o mundo espiritual

A cura da mulher encurvada

Lucas 13.10-13

Você já ouviu falar de alguém ou já passou pela situação de estar doente e ninguém conseguir dar um diagnóstico correto? Os médicos foram consultados, exames e mais exames foram feitos, medicamentos e mais medicamentos foram usados e nada, nenhum resultado, nenhuma melhora. A Bíblia, a todo tempo, nos aponta para um mundo espiritual, e cremos nele. Falamos de Deus, Céu e anjos e cremos em tudo isso, portanto não podemos negar a existência de um reino espiritual da maldade, onde demônios agem a todo tempo para a destruição do ser humano.

Lucas 13 relata a história de uma mulher que, havia dezoito anos, andava encurvada e de modo algum poderia endireitar-se.

Lendo essa passagem, entendemos que, na maioria das vezes, o inimigo não vai chegar mostrando a cara, mas agindo por meio de enganos e subterfúgios.

No caso dessa mulher, ele entrou na vida dela com uma enfermidade que a impedia de erguer-se e caminhar normalmente, dificultava os seus movimentos e não deixava que olhasse para o alto. O que poderia ter aberto esse acesso ao demônio? Feridas do passado, falta de perdão, falta de fé ou o medo depois de um diagnóstico médico, não sei. Mas sei que, para que um espírito entre, uma porta tem de estar aberta. Como Satanás é o mestre em sutileza, pode ter sido por meio de uma coisinha de nada, o famoso "nada a ver", e um espírito de enfermidade conseguiu se alojar no corpo daquela mulher.

O que é muito interessante nessa passagem é o fato de Lucas ser médico e chamar a doença da mulher de "espírito de enfermidade". Sendo um médico, ele era um profissional das ciências, dedicado a muitos estudos e comprovações palpáveis, mas ele reconhece que, naquele caso, só Jesus foi capaz de detectar e trazer solução para a vida daquela mulher.

O mesmo ocorre na nossa vida. Em determinadas situações, só o poder de Jesus pode trazer solução. O tanto que estudo, sei e comprovo por anos de pesquisas; meus doutorados e certificados, nada disso pode me fazer duvidar da veracidade da Palavra de Deus. E se ela me diz que há um mundo espiritual da maldade que luta constantemente contra a minha vida, essa é a verdade e ponto-final.

Isso significa que sempre que eu estiver doente é em razão de uma questão espiritual? Não. Nós somos corpo, alma e espírito, logo, sofremos de problemas físicos, emocionais e espirituais. Se eu não me cuido, posso adoecer, e simplesmente porque sou humana. Se eu não der atenção ao meu emocional e não procurar pôr a minha fé totalmente no meu Deus, se eu quiser carregar todas as cargas do mundo sobre mim, se eu não perdoar, não descansar e não parar de me preocupar com o amanhã, achando que preciso ter o controle de todas as coisas, vou adoecer emocionalmente — e isso também pode afetar o meu físico. Mas os demônios podem, sim, aproveitar um momento de cansaço físico para atacar minhas emoções e, assim, atingir o meu espírito.

O discernimento que o faz entender a origem de algo, se é espiritual ou não, só o Espírito Santo pode dar.

O discernimento que o faz entender a origem de algo, se é espiritual ou não, só o Espírito Santo pode dar. Estou falando de separar as coisas espirituais das naturais. Esse poder vai fazer com que você, por mais sutilmente que o inimigo tente chegar para fazê-lo acreditar que tudo é natural, consiga detectar a origem das coisas e que você use a autoridade que há no nome de Jesus para bloquear e impedir o avanço do inimigo em todas as áreas da vida. Deus abre a sua visão! Creia que todas as armadilhas que o inimigo planejou serão frustradas, pois Deus o faz ter clareza para lutar esta guerra!

A Bíblia diz que Jesus estava ensinando na sinagoga, e aquela mulher estava ali. Seu estado não a impedia de ir à sinagoga ouvir a Palavra de Deus, e Deus nos diz, em Romanos 10.17, que a fé vem pelo ouvir, e ouvir a Palavra de Deus.

A mulher não conseguia ver Jesus direito, por causa de sua condição, que a mantinha olhando para baixo. Quantas vezes, em um momento de desespero, você olhou para o alto e a imensidão do Céu o fez lembrar quão grande é o seu Deus — e isso o encheu de esperança novamente? Ela não tinha esse recurso. O inimigo havia tirado isso dela.

Não sei se a mulher estava ali por puro costume, ou se dentro dela havia a esperança de que um dia Jeová Rafá viria em seu socorro. Pode ser que ela já estivesse acostumada àquela condição e, para ela, estar ali sem esperar mais nada era suficiente. Não sei dizer quantas vezes ela tentou se esforçar para continuar de pé, olhar para o alto ou ficar na posição correta, mas, enquanto lutava, se cansava, e a esperança e a fé se esvaíam. Com isso, o espírito maligno ganhou força, até colocá-la nesse estado. Tudo que ela via era o chão; tudo o que ela contemplava era o fundo; e tudo o que ela via lhe dizia que ali era seu lugar e dali ela não passaria! Satanás quer oprimir você e maltratá-lo até você desistir de tudo.

Mas a Bíblia diz que, em certo sábado, numa das sinagogas, Jesus estava ensinando. Eu comecei a refletir sobre o sábado, dia que remete ao fim da semana. Para os judeus, nada poderia ser feito nesse dia. Esse era mais um motivo pelo qual aquela mulher não esperava que nada aconteceria naquele dia. Mas quando achamos que é o fim, ou que nada mais pode ser feito por nós, Deus chega e nos ensina que *ele* é o Senhor de todas as coisas, todos os dias, todos os momentos. E quem é o homem, ou qual é a lei que diz a ele o que *ele* pode ou não pode fazer por você?

Ao ver aquela mulher, Jesus reconheceu a impossibilidade dela. O Senhor sabia que ela não poderia vê-lo direito, mas a impossibilidade dela não alterou o poder e o amor de Cristo por ela. Assim, Jesus a chamou e disse: "Mulher, estás livre da tua enfermidade". E, impondo as mãos sobre ela, a curou — ela logo se endireitou e passou a glorificar Deus.

As impossibilidades que o adversário lançou sobre a sua vida não vão poder impedir o trabalhar de Deus em você! Assim como Jesus viu aquela mulher e não permitiu mais a ação diabólica sobre ela, ele não vai mais permitir a covardia do adversário sobre a sua vida, a sua família, a sua história! Ouça a voz de Jesus chamando seu nome, sinta as mãos dele sobre você! Ele está lhe dizendo seu nome! Seja livre, curado e liberto em todas as áreas da sua vida! Todo peso e toda impossibilidade de ver e se movimentar caiam por terra agora, em nome de Jesus! Comece a se erguer agora, olhe para o alto agora, tenha as esperanças renovadas e receba força para caminhar, em nome de Jesus! Glorifique o nome do Senhor Jesus, e todos verão o que o Senhor fez por você!

Continue ouvindo a voz de Deus!
Posicione seu celular no QR code.

Atividade prática

Quais pontos principais você gostaria de ver Deus mudar em sua família (isso inclui filhos, matrimônio, pais, etc.)? Anote-os e ore sobre eles, dizendo a Deus quanto você gostaria de ver essas mudanças acontecerem.

Para reflexão

1. Você sente que luta contra alguma herança espiritual que acompanha sua família?

2. Existe algo de ruim que você identifica nos seus antepassados que vê se repetir em sua vida?

Para ler em voz alta

"Saberás, pois, que o SENHOR teu Deus, ele é Deus, o Deus fiel, que guarda a aliança e a misericórdia até mil gerações aos que o amam e guardam os seus mandamentos."
(Deuteronômio 7.9 – ACF)

Após a leitura, repita:

Minha casa e minhas gerações são abençoadas!

Data __/__/__

Como estou me sentindo:

____

30

Mergulhando no chamado de Deus

A cura de um endemoniado cego e mudo

Mateus 12.22; Lucas 11.14,15

Você tem mergulhado no chamado que Deus tem para a sua vida? Sabe por que pergunto isso? Porque agora vou lhe contar uma história bíblica que mostrará como precisamos ser como Jesus, deixando-nos ser usados, independentemente das circunstâncias ao redor.

Havia um homem completamente endemoniado, excluído socialmente e constantemente oprimido. Mas um encontro com Jesus trouxe cura e libertação. Antes de nos aprofundarmos, precisamos esclarecer algo muito importante: nem todas as doenças são causadas por demônios. Mas, em alguns casos, a causa é um espírito maligno, portanto a cura só virá mediante uma palavra

Entenda que Deus não está preso aos nossos padrões ou à nossa percepção limitada sobre ele. O Senhor é poderoso para fazer o que deseja, da forma que achar melhor, no tempo que estabelecer. Ele sempre teve e terá o controle.

de autoridade de Jesus. Afinal, todas as coisas estão submetidas ao senhorio de Cristo. Ao crermos nessa verdade, temos mais confiança e ousadia para enfrentar qualquer tipo de desafio. Eu creio que, a partir deste tempo, você terá ousadia em Deus para repreender toda potestade, pois a palavra já foi liberada. Assuma a autoridade que já está em suas mãos!

Os feitos de Jesus causavam estranheza e até mesmo despertavam a indignação de algumas pessoas, fazendo com que elas blasfemassem contra Deus. O que se destaca para nós é pensar em quanto precisamos nos manter abertos para não nos escandalizarmos quando o Senhor fizer algo de forma diferente da que estamos acostumados.

Entenda que Deus não está preso aos nossos padrões ou à nossa percepção limitada sobre ele. O Senhor é poderoso para fazer o que deseja, da forma que achar melhor, no tempo que estabelecer. Ele sempre teve e terá o controle. Não baixe o padrão do seu milagre por causa da sua mente limitada. Pense grande, pois o seu Deus é grande!

Enquanto o povo se questionava se Jesus era o filho de Davi, os fariseus estavam preocupados em cumprir a lei, sem estar sensíveis para reconhecer aquele que tudo criou. "Mas se é pelo Espírito de Deus que eu expulso demônios, então chegou a vocês o Reino de Deus" (Mateus 12.28), ele disse, convidando-nos a participarmos do seu reino, revestidos de autoridade espiritual para podermos libertar pessoas de opressões demoníacas por seu santo nome.

Imagine quantas pessoas neste momento estão precisando de um toque sobrenatural para ter a vida transformada? É uma escolha estarmos disponíveis para trazer o reino de Deus à Terra, buscando trazer a cura, salvação e libertação que vem somente por meio de Cristo. Afinal, o mesmo que deu voz àquele que não podia falar ainda vive.

Há uma pergunta dos Céus para a sua vida: você se dispõe a ser usado por Deus? Não corra mais do que o Senhor o tem chamado a fazer! Ele tem pressa de alcançar outras vidas por seu intermédio e, para isso, derrama unção sobre sua vida. Deus fará muito por você! Não dê ouvidos aos que fazem críticas destrutivas, só atente à palavra que escutou de Jesus. Vá! Tenha ousadia!

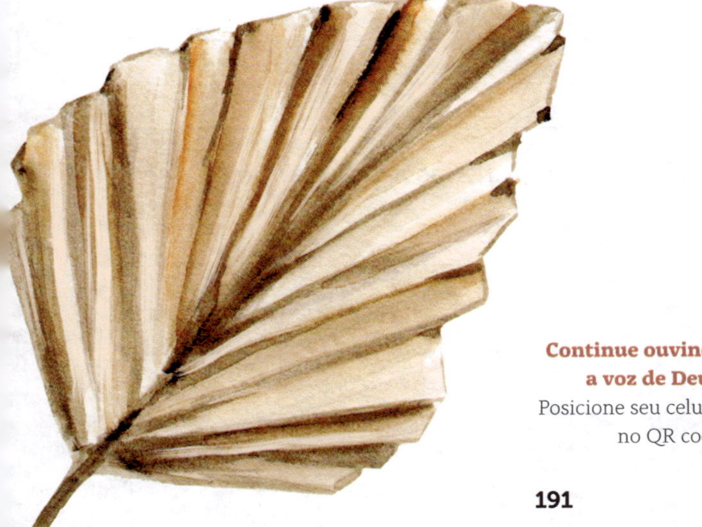

Continue ouvindo a voz de Deus!
Posicione seu celular no QR code.

Atividade prática

Você tem coragem de ser o instrumento que Deus quer que você seja? Tem coragem de se deixar usar pelo Senhor agora? Então escolha uma pessoa da sua lista de contatos, escreva o nome dela aqui e a palavra que você vai enviar para ela após essa atividade.

____

____

____

____

____

____

Para reflexão

1. O que ainda lhe falta para mergulhar no chamado de Deus?

____

____

____

2. Você tem dado muito ouvido às críticas negativas? Como isso o tem afetado?

____

____

____

Para ler em voz alta

"Assim veio a mim a palavra do SENHOR, dizendo: Antes que te formasse no ventre te conheci, e antes que saísses da madre, te santifiquei; às nações te dei por profeta." (Jeremias 1.4,5 – ACF)

Após a leitura, repita:

Senhor, eu vou me deixar ser seu instrumento!

Data __/__/__

Como estou me sentindo:

____

31

Milagres acontecem quando oramos e jejuamos

A libertação do jovem possesso

Marcos 9.14-29

Você sabe qual é a importância do jejum e da oração? Eu me peguei analisando o milagre da cura e da libertação de um jovem possesso e me dei conta de que algumas questões só são resolvidas por meio de jejum *e* oração. Pode parecer algo simples, mas essas disciplinas espirituais têm um poder imenso.

Nos momentos em que enfrentou suas maiores angústias, Jesus orava e jejuava, com ações de graças ao Pai. Ele iniciou seu ministério jejuando, ensinou os discípulos a orar, a cada milagre que realizava ele começava agradecendo ao Pai! Jejum não tem a ver com a mera abstenção do alimento, mas com a conexão do espírito! Oração não tem a ver com uma prece ou um mantra, mas com a comunicação com o Céu!

Nesse milagre, Jesus estava descendo do monte, como de costume, e uma multidão o aguardava. Até que um homem veio ao seu encontro e se ajoelhou a seus pés, rogando por um filho, que convulsionava e era lançado à água e ao fogo. Uma série de enfermidades podem estar relacionadas a uma convulsão, todavia a enfermidade desse rapaz era causada por demônios!

Você pode até duvidar, mas existem seres espirituais da maldade que provocam toda sorte de enfermidades e males e atuam roubando força, ânimo, desejo pela vida e consciência. Eles se aproveitam dos momentos de fragilidade do homem e promovem possessões e opressões.

Eu creio que, neste momento, enquanto você lê este texto, todas as prisões espirituais que se manifestam no seu corpo físico estão sendo quebradas, em nome de Jesus! Ele nos chamou a expulsar demônios e curar enfermos, então, nessa atmosfera de milagre, clamo a Deus por sua vida e pela cura de suas enfermidades, sejam elas de qual origem for! No corpo, na mente ou no espírito, seja livre, em nome de Jesus!

Cristo comissionou seus discípulos: "Curem os enfermos, ressuscitem os mortos, purifiquem os leprosos, expulsem os demônios" (Mateus 10.8a). Mas como fazer o que fomos chamados se não estivermos entrelaçados em fé a esse Cristo que nos comissionou? Aquele pai foi a Jesus e lhe disse que tinha ido aos discípulos e eles não puderam curar seu filho.

Será que ainda estamos incrédulos, a ponto de permitirmos que as pessoas ao redor estejam morrendo, endemoninhadas e acorrentadas, sem que façamos nada quanto a isso? Será que o nome de Jesus na nossa boca não tem poder, ou nós que não fazemos o que é esperado? Já viveu situações de batalhas espirituais

intensas das quais você se sentiu amedrontado e sem forças? Eu já travei muitas batalhas e percebi que, para vencê-las, eu deveria me aproximar um pouco mais da posição em que Deus me queria. A pergunta é: como? *Jejuando, orando e confiando!*

Eu já travei muitas batalhas e percebi que, para vencê-las, eu deveria me aproximar um pouco mais da posição em que Deus me queria. A pergunta é: como? **Jejuando, orando e confiando!**

Esse não é um ensinamento novo, mas é a prática com o maior número de resultados. Jesus nos ensina a orar e jejuar. Você tem vivido situações em que não consegue ver solução? Você já tentou de diversas maneiras e foi malsucedido? Às vezes, parece que está remando contra a maré, sem força nem resultados? Jesus nos deixou o ensinamento que pode revolucionar a nossa história de vida: *jejuar e orar*.

Milagres acontecem para uma igreja que hora. Milagres acontecem para uma igreja que jejua e se aproxima do Pai. Ester, para obter o favor do rei, jejuou e orou por três dias! Daniel, para receber sua resposta, jejuou e orou por vinte e um dias! Neemias jejuou e orou em favor dos judeus em Jerusalém. Jesus jejuou por quarenta dias no deserto. Sim, a oração e o jejum são práticas poderosas!

Há um convite do Céu para nós, aqui, hoje: ore um pouco mais, jejue um pouco mais, confie um pouco mais.

O Pai o está convidando para viver um novo nível de intimidade com ele, em que milagres que pareciam impossíveis serão palpáveis a todos aqueles que creem! Glória a Deus!

Jesus repreendeu o demônio e curou o menino. A indagação dos discípulos logo após foi por que eles não conseguiram realizar aquela libertação. A resposta dele: a fé de vocês é pequena! Em outras palavras, a fé é a pequena chave que abre grandes portas!

Minha oração hoje é que Deus aumente nossa fé! Jesus diz que, se tivermos fé, nada será impossível para nós! Como grão de mostarda, pequeno, mas em constante crescimento! Cristo afirmou que tudo o que pedíssemos ao Pai em oração, crendo, receberíamos, estando dentro da vontade dele! Temos de estar preparados para muitos enfrentamentos que teremos. Jesus disse que há castas de demônios que só saem com jejum e oração! Então jejue! Ore!

Muitas coisas no seu trabalho estão sendo travadas por causa de castas antigas que se alojaram lá e o têm impedido de prosperar. Há problemas na sua família que já vêm de anos, e você não sabe como resolver. Seus filhos estão vivendo histórias repetitivas, que sua família também viveu, e precisam ser solucionadas pela prática do jejum e da oração.

Neste milagre, o ensinamento que vemos é que precisamos estar ligados ao Pai, em jejum e oração, exercitando a nossa fé. Assim, veremos que tudo é possível ao que crê, até mesmo mover aquele monte que parecia intransponível!

Continue ouvindo a voz de Deus!
Posicione seu celular no QR code.

Atividade prática

Escreva uma lista de situações objetivas que você entenda que precisam do poder do jejum e da oração. Defina um período em sua agenda para se dedicar a esse jejum e oração específicos por cada situação. Escreva aqui os resultados.

____

____

____

Para reflexão

1. Como você pode tornar o jejum e a oração uma prática constante e transformadora em sua vida?

____

____

____

2. Quais são as áreas que você crê que precisam ser destravadas e transformadas pelo jejum e pela oração?

____

____

____

3. Quais são as maiores dificuldades que você encontra para separar um tempo para dedicar-se ao jejum e à oração e o que pretende fazer a respeito?

____

____

____

Data __/__/__

Como estou me sentindo:

____

32

O inimigo oculto

A libertação do endemoniado de Cafarnaum

Marcos 1.23; Lucas 4.31

Você já sentiu sua vida entrar em decadência, mesmo parecendo estar no lugar certo e na hora certa? Você tem se sentido distante, mesmo estando na "posição certa"? Está se sentindo preso, mesmo escutando a palavra de libertação? Sente que não consegue romper e está travado em áreas da sua vida? Se é o caso, saiba que Jesus veio para libertar os cativos, para arrebentar as prisões. Ele é nossa salvação e o nosso libertador!

Cafarnaum, conhecida como a cidade onde Jesus morava na vida adulta, foi um lugar onde ele realizou muitos milagres. O curioso é que Cafarnaum significa "lugar em que há tumulto ou desordem", ainda assim foi o centro do ministério de Cristo na

Galileia. Jesus sempre chegava a lugares de desordem para impor ordem, e assim é até hoje: onde há tumulto, ele promove a paz. E foi ali que ele encontrou um homem possesso por demônios.

Por vezes, estamos no lugar onde deveríamos estar, mas sob a influência do inimigo. Diante disso, a questão nem sempre é sobre onde estamos, mas, sim, sobre *como* estamos. Eu posso estar no lugar da cura, mas continuar doente; no lugar da libertação e continuar cativo. Nós nos assustamos quando identificamos a desordem que há em nós.

Quando Jesus liberta você, os espíritos imundos perdem todo o poder em tudo o que é seu. Eles perdem as forças para atuar naquilo que você possui e em suas emoções. Se nos submetermos à autoridade de Jesus e vivermos plenamente a liberdade e a autoridade que ele nos dá, seremos cheios do Espírito Santo — e o poder que em nós opera nos habilitará a viver o extraordinário de Deus.

Revista-se hoje do poder do Espírito Santo e das armaduras que já foram preparadas para nós, pois a nossa luta não é contra carne, mas sim contra os principados, contra as potestades, contra o príncipe das trevas deste mundo, contra as hostes espirituais da maldade. Creia que as potestades do mal serão manietadas hoje! Creia que as ações do adversário serão neutralizadas hoje! Ele já perdeu o lugar, pois Jesus chegou! Ele chegou!

Eu não sei dizer o que levou aquele espírito imundo a ter domínio sobre aquele homem de Cafarnaum, mas o fato é que o inimigo ganha espaço e se sente à vontade para agir em nosso meio de maneira muito sutil. Satanás usa emoções e frustrações, traumas do passado e sonhos ainda não alcançados para aprisionar pessoas. Também usa feridas abertas para dominar a mente e minar a fé. Tudo o que ele precisa é de um espaço para realizar suas obras malignas — seja pequeno, seja grande.

Muitas vezes, sem percebermos, o Diabo encontra acesso e tenta nos fazer reféns por uma vida inteira. Quando Jesus chega para libertar, ele nos permite identificar os caminhos que foram abertos para a entrada do adversário. A luz resplandece nas trevas, e elas não conseguem resistir. Jesus é a luz do mundo e veio para trazer luz na escuridão. Jesus traz luz às trevas de sua vida e lhe dá a visão espiritual da qual você precisa para lutar as batalhas do dia a dia.

Jesus fez com que aquele demônio se manifestasse. Pelo poder do Espírito Santo, você recebe autoridade e coragem para ser livre das opressões e sentenças dos demônios sobre você e sua casa. Conforme a palavra que sai da boca do Senhor, a libertação se manifesta! Quando Jesus chega, aquele que se acha valente tem de sair. A desordem sai. A vergonha sai. A confusão sai. O engano sai!

Satanás usa emoções e frustrações, traumas do passado e sonhos ainda não alcançados para aprisionar pessoas. Também usa feridas abertas para dominar a mente e minar a fé.

Jesus nos ensina a não dar voz ao inimigo, mas a repreender e calar sua voz. O inimigo de nossa alma não tem de ter voz em nosso meio nem em nossa vida. O Diabo veio para roubar sua paz, tirar suas esperanças, matar toda alegria que há em sua vida e destruir tudo aquilo que você construiu ou pensa em construir — mas Jesus veio para lhe dar vida, e vida em abundância!

Antes de aquele espírito imundo sair, ele deu um grito — o grito de derrota. A presença de Jesus afugenta o mal, pois ele não tem prazer em vê-lo acorrentado. Quando você está sob o domínio de espíritos imundos, submetido à vontade do reino das trevas, passa a viver segundo os princípios daquele reino. O espírito imundo o faz viver uma vida miserável, suja, decadente. O Senhor não tem abismo para sua vida, portanto seja liberto, hoje, pela autoridade que há no nome de Jesus!

Jesus liberta você dos espíritos que o mantinham cativo! Que toda brecha que você abriu para a influência do reino espiritual da maldade seja fechada, em nome de Jesus! Que todas as portas que foram abertas, consciente e inconscientemente, para a ação do Diabo sejam fechadas, em nome de Jesus!

O Senhor tira você das trevas, hoje! Ele o livra do vale da sombra da morte, e quebra todas as suas prisões. Seja quebrado todo jugo, removido todo peso de seus ombros, quebrada toda vara do opressor, em nome de Jesus! Que sobre sua casa haja liberdade, que toda maldição sobre sua família seja quebrada! Creia que todo cárcere em suas emoções está sendo destruído agora! Seja livre pela autoridade que há no nome de Jesus! Receba a libertação e a restauração de Cristo, aquele que morreu na cruz por mim e por você!

Continue ouvindo a voz de Deus!
Posicione seu celular no QR code.

Atividade prática

Faça uma oração em que clama a Deus que lhe dê discernimento para identificar acessos que você pode ter dado a Satanás e declare a autoridade de Jesus para romper com todo domínio maligno. Escreva aqui sua oração.

Para reflexão

1. Qual é a importância de manter a presença de Jesus em sua vida para afugentar o mal e trazer ordem onde há desordem?

2. Como você pode se revestir da autoridade e coragem que Jesus oferece para enfrentar as batalhas espirituais?

3. Que brechas você pode estar abrindo para a ação do inimigo que permitem que ele exerça poder sobre você?

PARTE 5

Deus de ressurreição

Levante-se para uma
nova vida, na qual
você verá Jesus cuidar
dos mínimos detalhes
da sua história,
trazendo alegria e
pondo nos seus lábios
um testemunho que vai
alcançar as nações em
nome de Jesus.

Data __/__/__

Como estou me sentindo:

____

33

O Deus das causas impossíveis!

A viúva de Naim

Lucas 7.11-17

Quero começar este texto lembrando você de uma coisa: *não existem impossíveis para Deus* (cf. Lucas 1.37)! Por que estou falando isso? Porque a Bíblia relata a história de uma mulher que estava vivendo o pior cenário que se pode imaginar: a morte de seu filho único. Ela era viúva, já tinha sentido a dor do luto uma vez, pela perda do marido, e de novo essa dor voltou a bater em sua porta, de forma violenta.

Aquela mulher chorava, e quem a conhecia chorava. As pessoas sentiam pena dela e, certamente, alguém na multidão pensava: "Coitada! Só sofre!". Lá iam eles, levando o corpo do jovem para que fosse enterrado, e ela seguia junto, vivendo aquela sensação de "gostaria de que tudo isso fosse um pesadelo".

Talvez você se sinta assim, vivendo dias que gostaria que não existissem. Quem sabe sua realidade esteja como a daquela mulher, de dor em cima de dor e perda em cima de perda. Eu sei que tudo está parecendo confuso agora, mas ouça mais uma vez o que eu disse no começo: *não há impossíveis para Deus!*

Prova disso é que Jesus chegou quando eles estavam passando pelo portão da cidade de Naim e ele disse a ela: "Não chores". Pense comigo: como uma mãe não vai chorar diante da morte de seu único filho? Não lhe parece uma loucura? A questão é que todas as palavras que Jesus liberar em meio ao seu caos lhe parecerão loucura, mas meu conselho é: *fique com a palavra!* Mesmo que tudo ao seu redor diga "não", a palavra dele é tudo o que você precisa para ver milagres acontecerem.

Eu sei que tudo está parecendo confuso agora, mas ouça mais uma vez o que eu disse no começo: **não há impossíveis para Deus!**

Jesus não fala baseado no que está vendo, mas no que fará acontecer. Você precisa entender isso e ter paz no coração. "Não chores" é o mesmo que "ignore o que o cenário está dizendo e confie em mim". Após dizer isso à viúva, ele se aproximou do caixão, ordenou que o menino voltasse à vida e, tão logo o rapaz se levantou, devolveu-o à mãe. Ou seja, tudo o que ele disse, ele mesmo fez acontecer.

Talvez você se sinta abandonado diante de tantas guerras, perdido sem saber como fazer, mas eu o encorajo a voltar a crer em dias melhores.

Sabe o que acontece? Quem estava sentindo pena dela, vendo o tanto que aquela mulher sofria, agora estava admirado com o tamanho do milagre que ela viveu. Ou seja, deixe as pessoas saberem como tudo está ficando cada vez pior, pois os mesmos que hoje sabem do fracasso, amanhã se admirarão com o lindo testemunho. Você crê? Então declare comigo: *eu creio que vou viver milagres!*

Repita isso com fé e seja abraçado pelo Espírito Santo de Deus!

Continue ouvindo a voz de Deus!
Posicione seu celular no QR code.

Atividade prática

Você ainda guarda as palavras que Jesus disse a seu respeito ou tem dado mais ouvido às vozes das adversidades? Seja sincero com você mesmo e fale a Deus que você precisa VOLTAR A CRER no que ele diz! Escreva palavras de encorajamento para você.

____

____

____

____

____

____

Para reflexão

1. Há alguma área da sua vida sobre a qual você deixou de crer no agir de Deus? Qual é essa área?

____

____

____

2. Você viveu perdas em alguma área da sua vida?

____

____

____

Para ler em voz alta

"E Jesus disse-lhe: Se tu podes crer, tudo é possível ao que crê."
(Marcos 9.23 – ACF)

Após a leitura, repita:

Eu vou crer na palavra do meu Senhor e não vou mais deixar as adversidades me fazerem chorar!

Data __/__/__

Como estou me sentindo:

____

34

O amigo da hora certa

A ressurreição de Lázaro

João 11.1-29

Quem nunca chegou atrasado a um evento importante? Não me julguem, eu sei que tenho alguns problemas com relógio, mas toda mulher já teve um dia! Eu sou aquela amiga que marca encontros e programações e sempre chega atrasada! Mas estou aqui para falar sobre um amigo que nunca se atrasa. Ao contrário, ele é o amigo da hora certa! E por mais que em alguns momentos da sua vida pareça que Jesus se atrasou, equivocou-se com os horários ou apareceu depois que tudo piorou, não se engane: ele é o amigo da hora certa!

A Bíblia narra a história de Marta, Maria e Lázaro, irmãos muitos estimados por Jesus. Em certo momento, Lázaro adoece. Mandam um recado para Jesus, que está em outra cidade, e ele se demora mais dois dias lá. Estranho, não é? A pergunta é: se havia um amigo pedindo socorro, por que Jesus não foi imediatamente em seu auxílio? Descaso, indiferença, insensibilidade, frieza, negligência? Jesus está alheio aos interesses de seu amigo?

A angústia aumenta, porque a morte está batendo à porta e Jesus não aparece. Será que ele não se importa? Será que eles não eram tão amigos assim? Será que o Senhor tem algo mais importante para fazer do que atender ao chamado de um amigo? Quantas vezes você já esperou que seu amigo estivesse no seu momento de maior dor, e porque ele não estava isso o fere até hoje? Quantas vezes você esperou que esse amigo estivesse com você na hora da sua maior aflição, ainda que ele não pudesse fazer nada só para demonstrar que se importava?

Mas Jesus não é um amigo comum! Ele não aparece no seu tempo, mas no dele. As coisas com Cristo nunca acontecem como você planejou, pois os meios que ele utiliza são sempre para glorificar o nome do Pai! Jesus não é o amigo que vai livrar você *das* aflições, *das* lutas, *dos* ventos; ele é aquele que vai livrá-lo *nas* aflições, *nas* lutas, *nos* ventos.

Talvez você esteja pensando: quando é o tempo dele, então? Porque, agora, meus sonhos e projetos já morreram, meu casamento já acabou, meus filhos já foram embora, a porta já se fechou! Quando é o tempo desse amigo? Parece que ele anda na contramão do que chamamos de amizade!

Havia uma expectativa imensa pela chegada de Jesus, e ele só veio quando Lázaro já estava morto e enterrado havia dias! Parece o fim da história e ponto-final! Quantas indagações e interrogações fizeram você ler este livro? Eu achei que Jesus faria, que ele viria; eu pedi, clamei, orei, busquei, fiz inúmeros votos, mas ele *não* fez o que eu pedi. Será que não somos mais amigos?

Os homens prometem que vêm e não chegam; dizem que farão e não fazem, atrasam-se, falham, decepcionam. Mas com o

Senhor não existe isso! Com Jesus, não existe adiantamento ou atraso, isso não faz parte do dicionário dele, ele sempre chega no tempo certo. A questão é que o tempo pertence a ele, e ele *nunca* se perde no tempo. Nós nos embaraçamos com as nossas coisas, mas nele não há embaraços em nada. Quando ele determina, movimentos celestiais acontecem e a palavra dele se cumpre!

Com Jesus, não existe adiantamento ou atraso, isso não faz parte do dicionário dele, ele sempre chega no tempo certo. A questão é que o tempo pertence a ele, e ele **nunca** *se perde no tempo.*

Jesus é especialista em transformar o tempo do pranto em sorrisos e o do lamento em alegria. Pode ser até que sua exclamação no momento seja muito parecida com a de Marta: "Se o senhor estivesse aqui...". Acredite, Jesus nunca chega atrasado! No Céu tem dia e hora marcada para o milagre acontecer na sua história. Ele não chega antes nem depois do tempo. Ele se apresentará na hora certa para o milagre acontecer. Lembra-se do que Salomão falou em Eclesiastes? Há um tempo determinado para todo propósito debaixo do céu! Você está vivendo *o tempo certo de Deus!* Mas na vida do vizinho do lado aconteceu, a pessoa à minha volta recebeu... e eu? Você está vivendo o tempo certo de Deus!

Jesus vai mandar remover a pedra que tem impedido seus sonhos de saírem do papel, de acordo com sua santa vontade! Quem disse que seu nome será apagado? Quem disse que sua geração será extinta? Quem disse que não existem mais sonhos futuros para você? Quem disse? O Diabo? A opressão? A depressão? O cansaço? O medo? A ofensa? Quem disse? Ele é o Deus do tempo certo! Da hora exata! Ele é especialista em trazer à existência o que não existia! Sua matéria-prima é o nada!

Talvez você esteja dizendo: não me restaram sequer esperanças! Mas glória a Deus, porque Jesus lhe devolve a esperança, renova as suas forças e abre novos caminhos. "Gabi, mas já faz muito tempo, eu olho ao redor e não vejo qualquer possibilidade de existência", você poderia dizer. É exatamente nesse cenário de desesperança, exaustão emocional e traumas pelas perdas que a voz do Jesus a quem sirvo ecoa agora, nesse sepulcro onde suas emoções se encontravam, seus sonhos estavam, seus relacionamentos e suas finanças pereceram, dizendo, como em João 11.43: "Lázaro, vem para fora!". Imagine Jesus gritando seu nome agora!

Sinta neste momento a vida voltar. Volte a sonhar, a projetar e a respirar! Jesus não apenas dará vida às coisas mortas, mas trará mobilidade e agilidade a essa engrenagem que estava parada! Seus sonhos não vão emergir para ficar apenas no papel, eles irão ressurgir para trazer movimento para sua história.

Creia: o Jesus que operou o milagre da vida na história de Lázaro está fazendo o mesmo em você agora. Não se engane, você não precisará fazer muito, só a sua chegada aos lugares testemunhará daquilo que ele fez em você! Se suas experiências com seus amigos foram ruins e até traumáticas, eu lhe apresento Jesus, o amigo que não falha nem desampara, o amigo que o orienta e não se atrasa. O amigo da hora certa!

Continue ouvindo a voz de Deus!
Posicione seu celular no QR code.

Atividade prática

Procure em sua agenda de telefones alguma pessoa que faz tempo com quem não conversa e faça contato. Diga quanto você se importa com ela e fale sobre Jesus, o amigo da hora certa, e como ele tem poder de renovar sonhos e projetos. Escreva aqui os resultados desse contato.

Para reflexão

1. Diante das perdas e desesperanças, como podemos abrir espaço para Jesus nos chamar pelo nome e nos trazer de volta à vida, resgatando nossos sonhos?

---

2. Como podemos confiar que Jesus é o amigo da hora certa, mesmo quando parece que ele se atrasou ou não atendeu às nossas orações?

---

3. Quais passos práticos podemos dar para viver no tempo certo de Deus, confiando que ele é especialista em trazer à existência o que não existe?

Data __/__/__

Como estou me sentindo:

____

35

Jesus transforma sua história!

A ressurreição da filha de Jairo

Mateus 9.18; Marcos 5.22; Lucas 8.41

Sabe quando chegam aqueles momentos da vida em que nos vemos em uma situação na qual somos obrigados a tomar uma decisão? Muitas vezes, é difícil decidir com que roupa eu vou sair, imagine ter de decidir algo que vai definir o rumo da minha história? Decisões fazem parte da nossa vida todos os dias, durante toda a vida. Umas não têm muita importância, outras definem o futuro. Se uma decisão específica, que pode impactar seriamente nosso destino ou o das pessoas que amamos, precisa ser tomada, a coisa fica séria! Se fizermos uma escolha errada, não teremos uma segunda chance!

Esse dia chegou na vida de Jairo! Ele era o principal da sinagoga, o dirigente dos cultos, um homem importante, conhecido por todos. Ele fazia parte de um círculo que negava que Jesus era o Filho de Deus, só que, naquele momento, ele estava com um problema sério em casa: sua única filha estava enferma, quase morrendo, e ele precisava tomar uma decisão, a de pedir ajuda a Jesus, o homem que, por mais que tentassem negar, estava curando, fazendo milagres e trazendo o reino de Deus ao povo. E, muitas vezes, tomar decisão implica ter de se expor!

Muitas vezes, queremos fugir dos problemas e tocar o barco do jeito que está para não termos de nos expor. Ou até mesmo nos expomos, mas de maneira errada. No caso de Jairo, todos saberiam que ele tinha um problema em casa, que sua família estava sob ameaça de morte, e saberiam também que ele cria que Jesus era o Filho de Deus e era poderoso para curar sua filha. Era um nível de exposição muito grande!

Talvez você se encontre exatamente assim: sob uma sentença de morte. Talvez você esteja como Jairo, com sua casa sentenciada, mas o medo da exposição o tem feito retardar a tomada de decisão. Quero lhe dizer que não há sentença que o seu posicionamento em Jesus não possa quebrar! Você o verá transformar o seu momento de luta, angústia e incertezas em dias de vitórias.

Jesus está passando, e a oportunidade não pode ser perdida! Você precisa se levantar, por você e sua família, e sair ao encontro dele! Você precisa convidar Cristo para sua casa e sua história, sem se importar com o que vão pensar ou dizer a seu respeito! Às vezes, damos mais importância ao que vão pensar do que ao único que pode realmente mudar o rumo das coisas! Muitas vezes, deixamos as oportunidades irem embora pelo simples fato de não querermos nos expor, por nos expormos para pessoas erradas ou, o que é pior, por nos expormos de maneira errada nas redes sociais, tentando chamar atenção porque queremos que sintam compaixão de nós.

Jesus quer que você o convide a entrar na sua casa. Jairo o convidou, e ele aceitou o convite! É claro que, se eu convidar, ele aceitará entrar na minha casa, pois está esperando ansiosamente pelo convite! Do mesmo modo, Jesus lhe diz: "Convide-me, pois eu mudo a situação, mas enquanto você estiver mais preocupado com a opinião da sua família, de seu círculo de amizades e de seus seguidores na *internet*, não agirei".

Essa foi a melhor decisão que Jairo poderia ter tomado a respeito de sua família, e será a melhor decisão que você vai tomar a respeito da *sua* família, do *seu* casamento e da *sua* história! Convide Jesus para entrar na sua casa, hoje! Não espere a oportunidade passar: ajoelhe-se agora, prostre-se agora, reconheça agora que ele é o único que pode mudar tudo!

Jesus aceita o seu convite — e como aceita! Ele quer ser seu amigo, entrar na sua casa e na sua alma e trazer vida a tudo o que estava morrendo! Convide-o

Jesus está passando, e a oportunidade não pode ser perdida! Você precisa se levantar, por você e sua família, e sair ao encontro dele! Você precisa convidar Cristo para sua casa e sua história, sem se importar com o que vão pensar ou dizer a seu respeito!

agora, e ele tirará o que precisa sair da sua casa, destruirá a sentença de morte, curará, libertará e ressuscitará sonhos, projetos e sentimentos.

Que seja quebrada agora, em nome de Jesus, toda cadeia de intimidação que prende a sua alma, mexendo com as suas emoções e dizendo que, se você convidar Jesus para entrar, as pessoas vão sair! Creia: as pessoas não vão sair! Jesus vai tirar quem não tem de estar na sua vida e trazer as pessoas que o ajudarão e acreditarão no seu milagre com você. Creia que Jesus, neste momento, vai em sua direção e lhe diz: "*Talita, cumi!*", que significa: "*Menina, levanta!*".

Levante-se para uma nova vida, na qual você verá Jesus cuidar dos mínimos detalhes da sua história, trazendo alegria e pondo nos seus lábios um testemunho que vai alcançar as nações, em nome de Jesus!

Atividade prática

Escreva três decisões importantes que você precisa tomar em sua vida.

____

____

____

Para reflexão

1. Como a exposição de nossas escolhas pode trazer transformação para nossas lutas e incertezas?

____

____

____

2. Quais são as oportunidades que você tem deixado passar por medo do julgamento das pessoas ou por tentar chamar atenção nas redes sociais?

____

____

____

3. O que você acredita que pode acontecer se convidar Jesus a entrar em suas situações mais desafiadoras?

____

____

____

Pra. Midian Lima e Gabriela Lopes

"Uma amizade regada de amor
te faz se sentir protegido em
dias de aflição."

GABRIELA LOPES

Palavras finais

Milagres existem, são reais! Embora muitas pessoas achem que são coisas do passado, não é verdade, pois eles estão disponíveis para nós agora, neste tempo.

Que, ao término desta leitura, sua fé seja reabastecida e seu coração se encha de esperança, por saber que, não importa o cenário em que você esteja vivendo, o Deus de milagres quer surpreendê-lo.

Acredito que este livro é profético, pois sempre que falamos sobre milagres, um ambiente propício começa a se estabelecer, e eu creio que é assim na vida de sua família — enquanto você leu e completou as atividades, Deus foi rompendo com cada área da sua casa que ainda precisava ser visitada.

Não importa como está sua vida hoje, não se baseie pelo seu agora nem permita que as circunstâncias roubem a convicção de que o poder de Deus pode fazer o impossível acontecer. Afinal, a Bíblia nos apresenta testemunhos de pessoas que também estavam passando por cenários dificílimos e, mesmo assim, viram a boa mão de Deus se manifestar. Então, creia, apenas creia. Não espere sinais, nem manifestações. Creia antes, pois tudo é possível àquele que crê.

Eu creio que Deus fará com que em breve um sorriso brote em seu rosto e a alegria volte ao seu coração! Que o Deus de milagres o abençoe hoje!

Pastora Midian Lima

Esta obra foi composta em *Alda OT CEV*
e impressa por Gráfica Coan sobre papel
Offset 75 g/m² para Editora Vida.